Marta Stefani

HISTORIA DE LA CIENCIA Y DE LA TECNOLOGÍA

La revolución científica

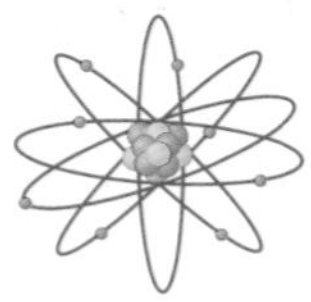

HIPERLIBROS DE LA CIENCIA

Una enciclopedia
dirigida por Giovanni Carrada

VOLUME 21
HISTORIA DE LA CIENCIA Y DE LA TECNOLOGÍA
La Revolución Científica

Texto: *Marta Stefani*
Ilustraciones: *Studio Inklink*
Proyecto gráfico: *Sebastiano Ranchetti*
Dirección artística y coordinación: *Laura Ottina*
Maquetación: *Laura Ottina*
Redacción: *Leonardo Cappellini*
Fotomecánica: *Venanzoni D.T.P.* - Firenze
Traducción: *Cálamo & Cran*

Para la edición en España y países de lengua española:
© Editorial Editex, S. A.
Avda. Marconi, nave 17. 28021 - Madrid
I.S.B.N. colección completa: 84-7131-920-9
I.S.B.N. volumen 21: 84-7131-941-1
Número de Código Editex colección completa: 9209
Número de Código Editex volumen 21: 9411
Impreso en Italia - Printed in Italy

DoGi
Una produzione DoGi spa Firenze

SUMARIO

Cómo se usa un Hiperlibro

Un Hiperlibro de la ciencia se puede leer como se leen todos los libros, es decir, desde la primera a la última página. O también como una enciclopedia, yendo a buscar sólo el argumento que nos interesa. Pero lo mejor es leerlo precisamente como un *Hiperlibro*. ¿Qué quiere decir esto?

La imagen, al lado del título, representa el contenido de cada epígrafe y es siempre la misma en todos los volúmenes.

La flecha grande, que entra en la página desde la izquierda, señala que el contenido está relacionado con el de la página precedente.

Las imágenes dentro de la flecha hacen referencia a los epígrafes anteriores a los que puedes recurrir para ampliar conocimientos sobre el que estás leyendo.

Bajo cada imagen se indican el número del volumen y la página a consultar.

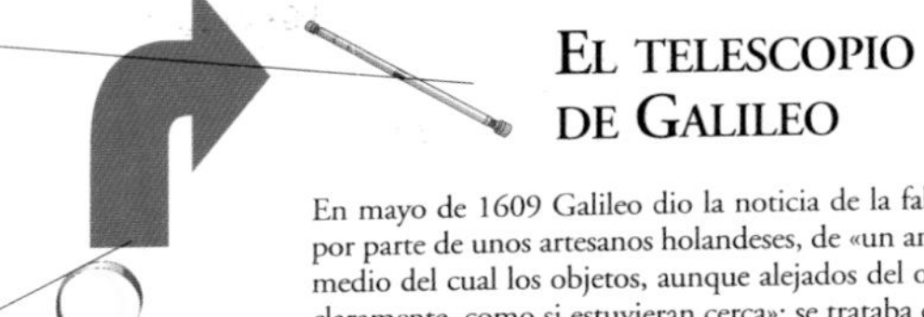

El telescopio de Galileo

Las lentes
vol. 4 - pág. 32

El telescopio
vol. 4 - pág. 38

El cosmos
vol. 5

En mayo de 1609 Galileo dio la noticia de la fabricación, por parte de unos artesanos holandeses, de «un anteojo por medio del cual los objetos, aunque alejados del ojo, se ven claramente, como si estuvieran cerca»: se trataba de un instrumento al que poco después los académicos de los Lincei darían el nombre de telescopio. El «anteojo», que Galileo reprodujo pronto en Padua, incluía una combinación de dos lentes –ambas planas por un lado, pero una cóncava y la otra convexa por el otro– ubicadas en un extremo de un tubo de plomo: así observados, se ven los objetos bastante agrandados. Este invento fue mejorándose poco a poco y pronto Galileo construyó un aparato capaz de aumentar el tamaño del objeto observado, al menos 30 veces. Vistas sus posibles aplicaciones al sector bélico y a la navegación, ya conocidas por los holandeses, Galileo supo aplicar el telescopio para algo totalmente inédito: la observación del cielo.
Fue como encender una luz en un ambiente de penumbra, apenas iluminado por una vela: un pelotón de estrellas nuevas acudió en tropel a poblar el cielo; la Vía Láctea, tradicionalmente considerada un cometa o un efecto

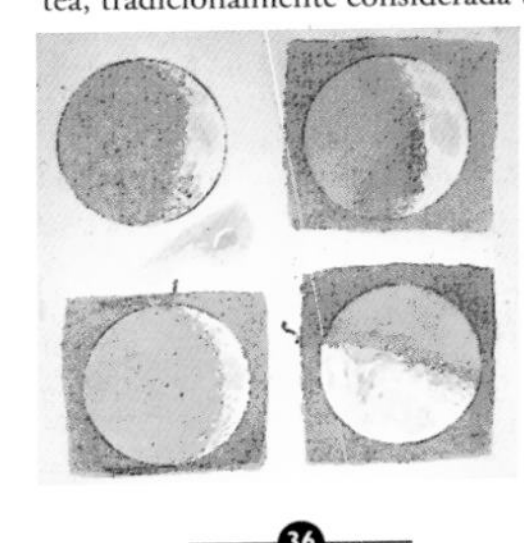

Izquierda, estos dibujos del *Sidereus Nuncius* muestran algunas imágene de la observación telescópica de la Luna. Midiendo las sombras en su superficie Galileo pudo calcular que sus relieves debían ser superiores a los terrestre

Hiperlibros de la ciencia

1 La materia
2 Fuerzas y energía
3 La química
4 Luz, sonido, electricidad
5 El cosmos
6 La conquista del espacio
7 Dentro de la Tierra
8 El clima
9 Los secretos de la vida
10 Las plantas
11 El reino animal - Los invertebrados
12 El reino animal - Los vertebrados
13 El comportamiento animal
14 La ecología
15 Los océanos
16 La vida en la Tierra

En la ciencia, cada argumento está ligado a muchos otros, tal vez pertenecientes a sectores completamente diferentes pero todos importantes para comprenderlo mejor. Encontrarlos no es un problema gracias a Hiperlibros. El que quiera conocer un argumento, leerá las páginas que se refieren al mismo y, desde ahí, partirá a explorar todas las conexiones, simplemente «siguiendo las flechas».

Por lo tanto, se puede abrir un Hiperlibro en cualquier página y, a partir de esta, navegar en el mundo de la ciencia dejándose guiar por las remisiones ilustradas, siguiendo nuestras búsquedas o la curiosidad del momento.

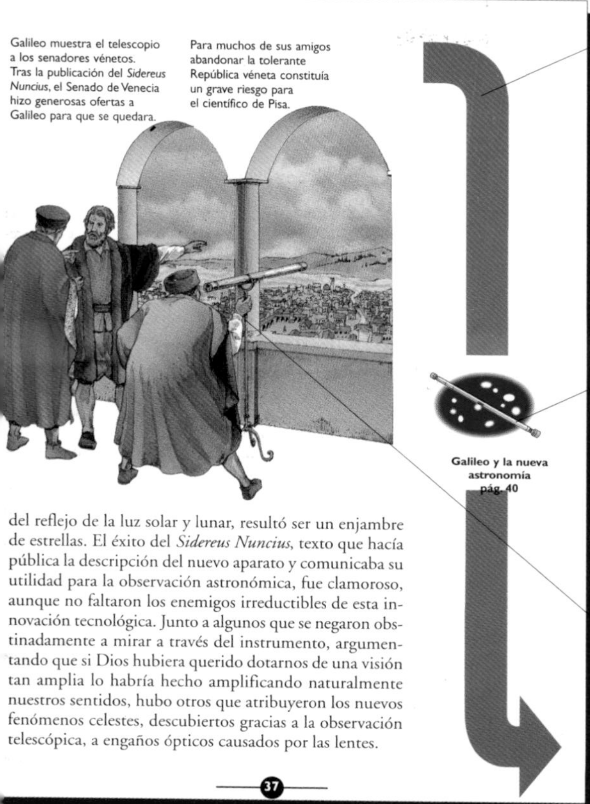

Galileo muestra el telescopio a los senadores vénetos. Tras la publicación del *Sidereus Nuncius*, el Senado de Venecia hizo generosas ofertas a Galileo para que se quedara.

Para muchos de sus amigos abandonar la tolerante República véneta constituía un grave riesgo para el científico de Pisa.

del reflejo de la luz solar y lunar, resultó ser un enjambre de estrellas. El éxito del *Sidereus Nuncius*, texto que hacía pública la descripción del nuevo aparato y comunicaba su utilidad para la observación astronómica, fue clamoroso, aunque no faltaron los enemigos irreductibles de esta innovación tecnológica. Junto a algunos que se negaron obstinadamente a mirar a través del instrumento, argumentando que si Dios hubiera querido dotarnos de una visión tan amplia lo habría hecho amplificando naturalmente nuestros sentidos, hubo otros que atribuyeron los nuevos fenómenos celestes, descubiertos gracias a la observación telescópica, a engaños ópticos causados por las lentes.

Galileo y la nueva astronomía pág. 40

37

La flecha grande que sale de la página desde la derecha indica que el argumento de la página está ligado estrechamente a los de las páginas sucesivas, las cuales lo completan o lo desarrollan, o que continúan la evolución del volumen.

Las imágenes en el interior de la flecha indican las remisiones a los argumentos que pueden leerse después del de la página, para profundizar en él o explorar sus consecuencias.

El rico y puntual conjunto iconográfico y las leyendas completan y ejemplifican el desarrollo del argumento.

17 La evolución del hombre
18 El cuerpo humano
19 El mundo del ordenador
20 *Historia de la ciencia y de la tecnología* - De la Prehistoria al Renacimiento
21 *Historia de la ciencia y de la tecnología* - La Revolución Científica
22 *Historia de la ciencia y de la tecnología* - El Siglo de las Luces
23 *Historia de la ciencia y de la tecnología* - El siglo de la industria
24 *Historia de la ciencia y de la tecnología* - El siglo de la ciencia

DE LA MAGIA A LA CIENCIA

Durante los siglos XVI y XVII se produjeron innovaciones y descubrimientos que transformaron la relación del hombre con todo lo que le rodea. En el ámbito del conocimiento de la naturaleza, igual que en el del propio hombre, la ciencia fue ocupando poco a poco el lugar de la magia. El mago del Renacimiento no tenía nada que ver con la imagen del mago que tenemos en la mente; ante todo, era un profundo conocedor de la realidad natural: sólo un detallado conocimiento de los fenómenos le permitía no sólo «prever», sino manipular, transformar y, en una palabra, dominar la propia naturaleza. Se imaginaba el universo natural como un inmenso organismo vivo, una especie de animal gigante cuyos distintos órganos –astros, mares, montañas– tenían vida propia y estaban dotados de almas concretas. Se concebían las distintas partes del universo estrechamente ligadas entre sí; cada elemento estaba ligado a los demás y ejercía sobre

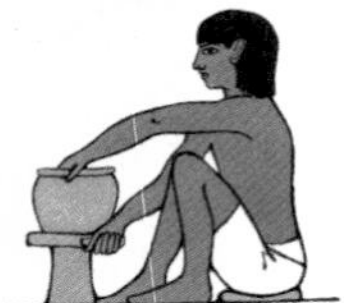

De la prehistoria al Renacimiento vol. 20

Los ingenieros del Renacimiento vol. 20 - pág. 82

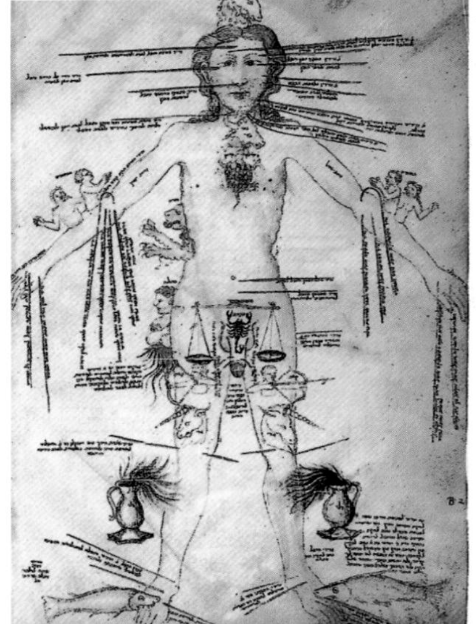

En nombre de la correspondencia instituida, en la tradición mágica del Renacimiento, entre el macrocosmos, o gran universo físico, y el microcosmos, o sea el hombre, se pensaba que cada constelación del zodiaco astral ejercía una influencia determinada sobre un órgano o una serie de órganos del cuerpo humano. Un estudio detallado de la posición exacta de los astros era imprescindible antes de iniciar cualquier terapia.

La imagen, obtenida de un códice del año 1400, representa el centralismo del hombre en el universo. Este privilegio estaba avalado por las Sagradas Escrituras: la creación entera estaba sometida a la más perfecta de las criaturas, la única plasmada a imagen y semejanza de Dios.

El siglo de las luces vol. 22 - pág. 8

ellos una especie de actividad: más concretamente, una influencia. En el hombre, puesto en el centro de la creación de la misma manera que la Tierra era considerada entonces ubicada en el centro del cosmos, se reflejaba el universo entero con todas sus fuerzas, sus lazos, sus poderes secretos. Es una realidad, la ahora descrita, que estaba destinada a sufrir una transformación radical a lo largo de un siglo y medio.

Entre la época de Copérnico –que marca el inicio de la llamada «revolución astronómica»– y la de Newton, un cambio profundo de las ideas, las técnicas y los métodos de investigación científica dibujaría una imagen nueva del universo y, con ella, una revisión del propio papel del hombre en el universo. No es un animal grande con sensaciones, caprichos, inclinaciones; sino una maquinaria compleja y ordenada que actúa de acuerdo con leyes fácilmente comprensibles y universales: así es el nuevo mundo que constituye el objeto de la curiosidad de un hombre «nuevo», ya no mago, sino científico, al final del proceso conocido como «revolución científica».

PARACELSO

Hipócrates
vol. 20 - pág. 28

Paracelso, cuyo verdadero nombre era Phillip Aureolus Theophrast Bombast von Hohenheim, transformó la alquimia tradicional en iatroquímica, o sea en química médica. En efecto, según el médico suizo el objetivo central de la química no era fabricar oro, sino medicinas. Simplificando mucho el complejo planteamiento teórico del pensamiento de Paracelso, podríamos decir que todo lo que se puede ver en la Tierra –desde los minerales hasta los animales– puede ser considerado el producto de fuerzas espirituales, creadas por Dios en los inicios del mundo y escondidas en la materia. Estas fuerzas son los principios activos que curan las diversas enfermedades: pero, ¿cómo llegar hasta ellas? Descomponiendo, analizando, sometiendo a la destilación varios objetos naturales, «capturando» sus virtudes activas y, finalmente, suministrándolas de distintas maneras al enfermo. La «química» se aliaba así con la medicina para dar lugar a una nueva disciplina científica: la iatroquímica o química médica.

Personaje excéntrico, muy dado a la polémica y a la provocación, Paracelso fue, ante todo, un alquimista, y dio un giro espectacular a su disciplina. Tradicionalmente ligada a los distintos procesos de transformación de los metales viles en oro, Paracelso dio a la alquimia un nuevo rol, un nuevo fin: la realización de una práctica terapéutica destinada a devolver a los cuerpos enfermos los equilibrios propios del cuerpo sano. El descubrimiento y la preparación de remedios eficaces contra las enfermedades era una de las tareas del alquimista. Aún sirviéndose todavía de las virtudes terapéuticas de las plantas –una mezcla de hierbas, el láudano, fue uno de los remedios más conocidos de la medicina de Paracelso–, como defendía la tradición, el «nuevo» médico prefería los fármacos «químicos»: el mercurio, un remedio de efectos ciertamente violentos, se usaba, por ejemplo, en el tratamiento de la sífilis.

La medicina
alejandrina
vol. 20 - pág. 46

La técnica de la destilación, usada, entre otras cosas, para preparar vinagre o el zumo de varios frutos, es la base de la actividad del alquimista.

El laboratorio del alquimista poseía instrumentos de todo tipo: crisoles, ampollas, retortas y distintos tipos de alambiques.

Andrea Vesalio
pág. 14

El nacimiento de la química
pág. 58

LA TECNOLOGÍA MILITAR

Los principales avances e innovaciones de la tecnología militar en los siglos XVI y XVII afectaron a sectores muy distintos. Por una parte, gran parte de los esfuerzos se concentraron en la mejora del potencial de la invención medieval de la pólvora: en el siglo XVI la artillería había ocupado ya un puesto preponderante en el ejército tradicional junto a la caballería y la infantería. La realización de proyectiles explosivos -destacan las bombas de mortero- modificó sensiblemente la eficacia de la acción bélica. Paralelamente se prestó mucha atención a la mejora tecnológica de las armas de fuego portátiles: se inventaron nuevos mecanismos de disparo para los fusiles –uno de los más refinados es el gatillo– que sustituían al sistema tradicional, consistente en prender fuego mediante una mecha sostenida en la mano; se mejoraron las técnicas de elaboración de las cañas, tan largas y pesadas que no se podían usar, en algunos casos, sin la ayuda de un apoyo; y se estudiaron nuevos métodos de carga.

Los ingenieros del Renacimiento vol. 20 - pág. 82

En conjunto, las cualidades balísticas de las armas portátiles dejaban aún mucho que desear –ni un tiro largo ni una mira demasiado precisa eran, por otra parte, indispensables en un enfrentamiento con formaciones muy compactas–, y tampoco se obtenían mejores resultados con las principales modificaciones introducidas en el campo de la artillería pesada. De todas formas, la utilización de las segundas en las operaciones de sitio implicó, a partir de la segunda mitad del siglo XV, una auténtica revolución en la historia de las fortificaciones.

Una estructura de muros compactos, capaces de ofrecer resistencia a las gruesas balas de cañón, sustituyó a los muros verticales típicos del castillo medieval. La ciudad fortificada se convirtió en el modelo con más éxito de la defensa estática. En el dibujo se ve un bastión «de caparazón de cangrejo», ideado por Miguel Ángel pero jamás construido.

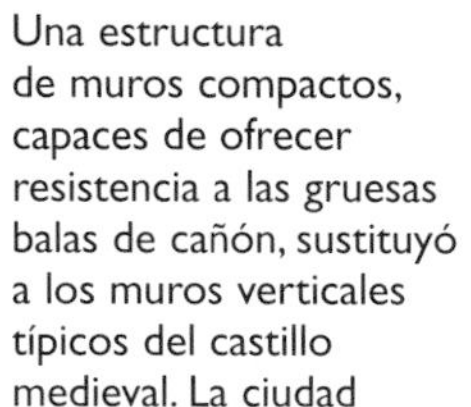

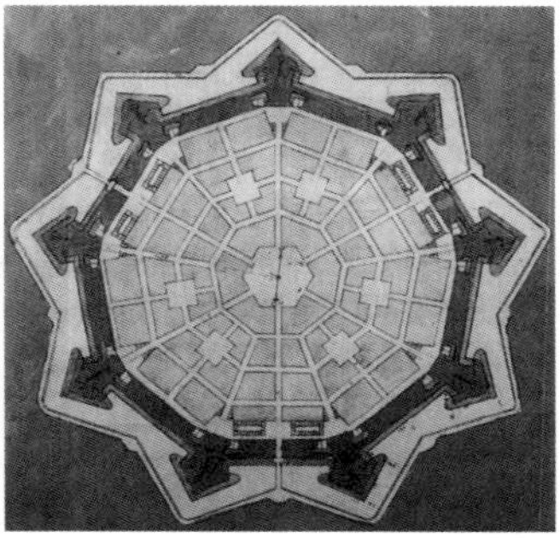

Planta de la fortaleza de Palmanova, construida en 1593: el recinto de las murallas tiene nueve bastiones.

Una de las principales innovaciones técnicas de las fortificaciones fue la introducción del bastión, una especie de plataforma amplia de muralla que sobresalía de esta y garantizaba una sólida base de apoyo para la artillería.

Las esquinas de los anchos muros de los bastiones –cuyo número dependía de la longitud del recinto amurallado– permitía a la defensa aprovechar mejor todos los ángulos de tiro.

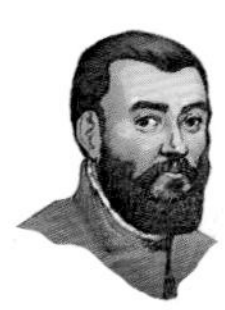

ANDREA VESALIO

La medicina consigue con Vesalio unir dos objetivos que hasta el siglo XVI habían estado totalmente separados: el del médico que se limitaba a diagnosticar la enfermedad y recetar medicamentos y el del que, en una posición bastante inferior, intervenía directamente mediante incisiones, secciones y suturas.

Tras estudiar en Lovaina, su ciudad natal, París y Padua, donde consiguió el título académico y se hizo lector de cirugía, el médico belga Andrea Vesalio (Andreas van Wescle) alcanzó en seguida tal fama que fue nombrado médico imperial de Carlos V y, más tarde, del rey Felipe II de España. Harto de los encargos de la Corte, renunció a este cargo en 1562 y murió dos años más tarde, durante el re-

El cuerpo humano
vol. 18

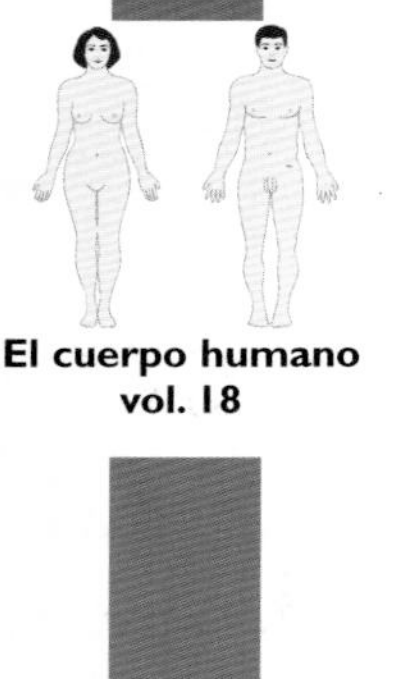

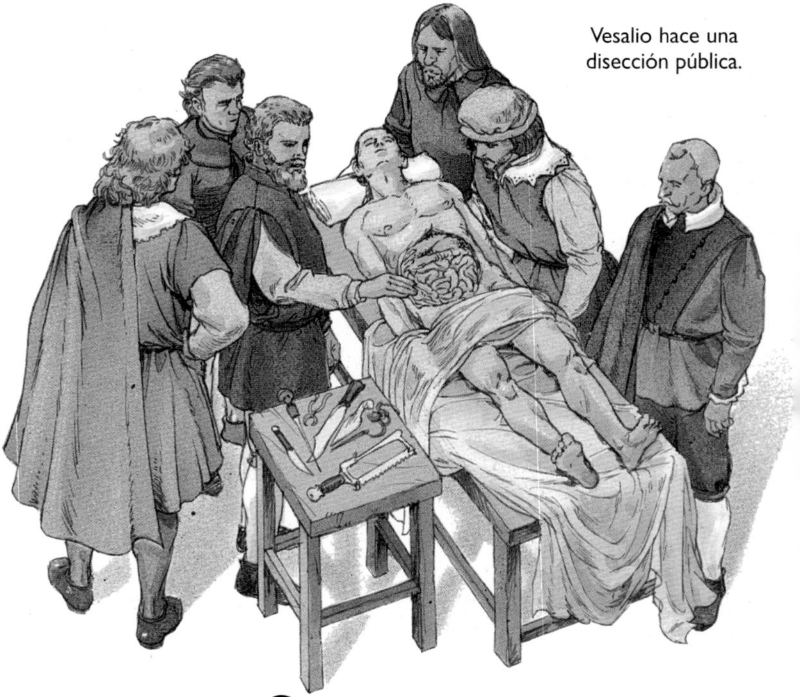

Vesalio hace una disección pública.

La estructura del cuerpo humano, la disposición de los distintos órganos que lo conforman y sus funciones no pueden estudiarse, según Vesalio, en otro sitio que en el propio cuerpo y por ello hay que conseguir cadáveres, realizar una disección minuciosa y hacer imágenes fidedignas de lo que se ha visto. Así nacieron las espléndidas tablas anatómicas de su obra principal, *De humani corporis fabrica (Sobre la estructura del cuerpo humano,* 1543*)*, realizadas, al parecer, por un discípulo del gran Tiziano.

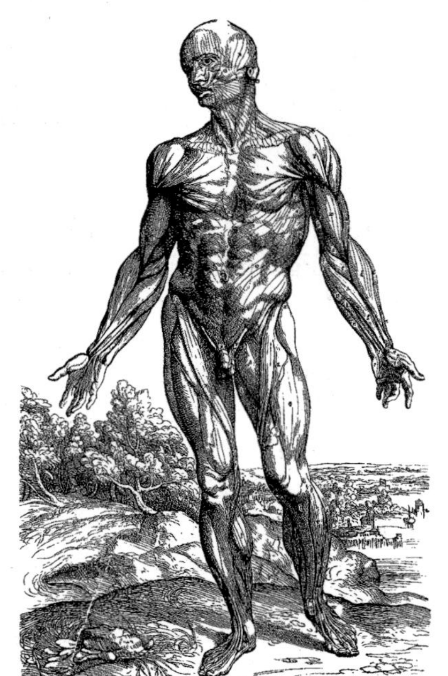

greso de una peregrinación a Jerusalén. Hasta principios del siglo XVI el estudio de la anatomía había estado algo descuidado, y la medicina se veía más bien orientada a describir y curar enfermedades que a realizar una investigación minuciosa de la estructura del cuerpo humano. Con Vesalio esta situación cambió por completo. Sus años de práctica profesional estuvieron dominados, por lo que se refiere a la anatomía, por la gran autoridad del médico griego Galeno (siglo II d.C.): los estudiosos de anatomía seguían sus tratados traducidos y divulgados en Europa occidental; se olvidó casi por completo la observación directa del cuerpo humano. Aunque muy influido por la obra de Galeno, Vesalio tuvo el valor de rebelarse a su autoridad: la medicina no era una disciplina que se pudiese aprender sólo en los libros o en las aulas de la universidad, sino que había que aprender a «ensuciarse las manos», a observar personalmente. Un médico también debía aprender a ser un buen cirujano, un buen anatomista y un minucioso conocedor de la estructura del organismo.

William Harvey
pág. 56

El descubrimiento de América

Eratóstenes
vol. 20 - pág. 36

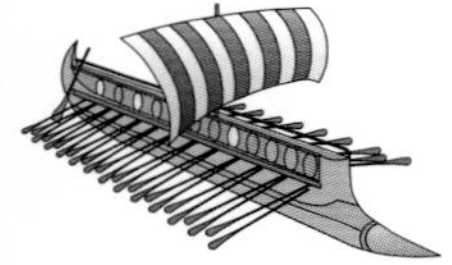

La navegación antigua
vol. 20 - pág. 60

Las nuevas necesidades derivadas de la formación de los estados absolutos, deseosos de garantizar la riqueza interior, dieron un gran impulso a los viajes de exploración en busca de nuevos mercados. Cuando Cristóbal Colón pudo obtener de Isabel la Católica financiación para su empresa, dejó las costas europeas con una idea lógica, considerando lo imprevisto. De acuerdo con la idea de que la Tierra es esférica, se propuso llegar a las Indias por el camino contrario al de Marco Polo: yendo por el mar hacia el oeste. Lo que no podía prever era la existencia, en la ruta entre Europa y las Indias, de un continente entero. Cuando, en octubre de 1492, tocó tierra, descubrió las is-

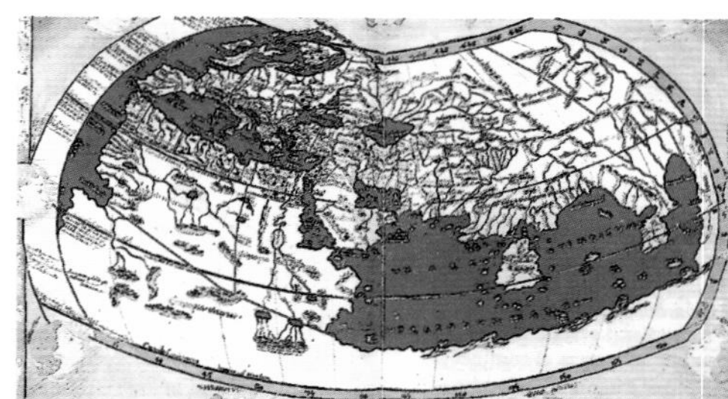

El mapa de la izquierda muestra las tierras conocidas antes del descubrimiento del Nuevo Mundo. En el de abajo los sucesivos viajes de Colón muestran (de forma aproximada) el perfil de América.

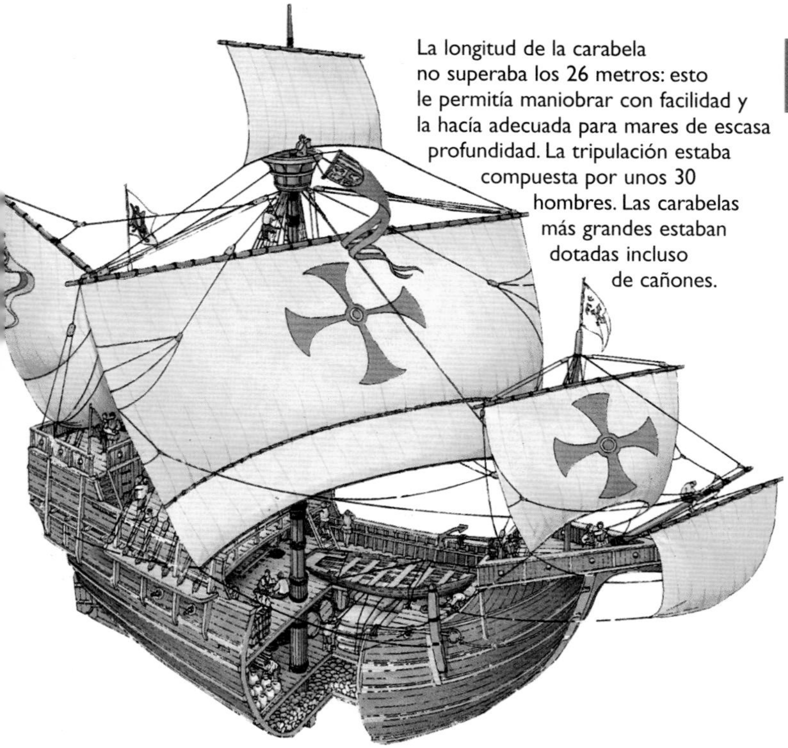

La longitud de la carabela no superaba los 26 metros: esto le permitía maniobrar con facilidad y la hacía adecuada para mares de escasa profundidad. La tripulación estaba compuesta por unos 30 hombres. Las carabelas más grandes estaban dotadas incluso de cañones.

Los viajes de Cook
vol. 22 - pág. 50

las Bahamas y Cuba, pero seguía convencido de que había llegado a «Catai», o sea a China. Su ilusión se desvaneció en los viajes posteriores: ni los indígenas belicosos de las Pequeñas Antillas, ni las agrestes costas de la Venezuela actual o las pantanosas de Honduras y Costa Rica se parecían a las del rico y refinado Oriente.

Pero las potencias del Viejo Continente, España y Portugal, no tardaron en hallar las grandes riquezas del Nuevo Mundo y, tras el momento de la exploración, llegó el de la conquista y la explotación colonial de los recursos de los territorios ocupados. Así, mientras oro y plata o productos agrícolas como el maíz y la patata llegaban a nuestros mercados, civilizaciones enteras de indígenas, como los mayas, los incas y los aztecas, eran aniquiladas sistemáticamente por los conquistadores europeos.

Los grandes descubrimientos geográficos

La seguridad de poder alcanzar las Indias por vía marítima se había visto confirmada cuatro años antes de la expedición de Colón cuando, en 1488, Bartolomé Díaz llegó a la punta más meridional de África: el Cabo de Buena Esperanza. La larga preparación de la expedición que permitiría al Gobierno portugués, aprovechando esta nueva adquisición, pasar del océano Atlántico al Índico circumnavegando África se concretó en 1497 con el éxito de Vasco de Gama. Este, tras doblar el cabo de Buena Esperanza y establecer contacto con las ricas ciudades costeras de África oriental, llegó a Calcuta el 16 de mayo de 1498 y puso las bases de una riquísima ruta comercial –de las especias y la seda– con los principales puertos del océano Índico.

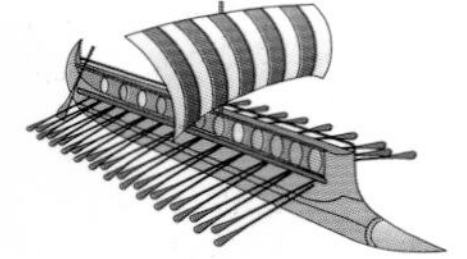

La navegación antigua
vol. 20 - pág. 60

Tras varias expediciones promovidas por la Inglaterra de Enrique VII, el descubrimiento de nuevas tierras –Terranova, Nueva Escocia, Brasil– confirmó que, tras la hazaña de Colón, nos hallábamos frente a un continente nuevo: por lo tanto, había que sortear un obstáculo enorme para llegar a las Indias por el oeste. Si el camino tomado por el italiano Américo Vespucio, al que debe su nombre

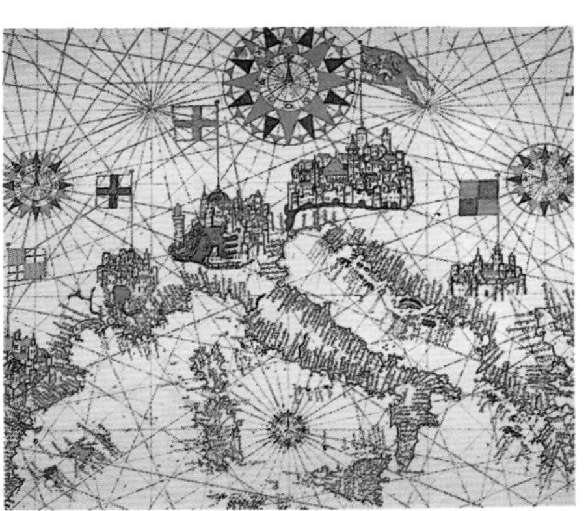

Los portulanos, muy usados desde finales del siglo XIII, tras la introducción de la brújula, eran cartas de navegación que reproducían el perfil costero de las zonas que interesaba recorrer, de las que se señalaban sólo las informaciones necesarias para la navegación y el comercio. Las rutas eran trazadas mediante finas líneas que partían de una rosa de los vientos.

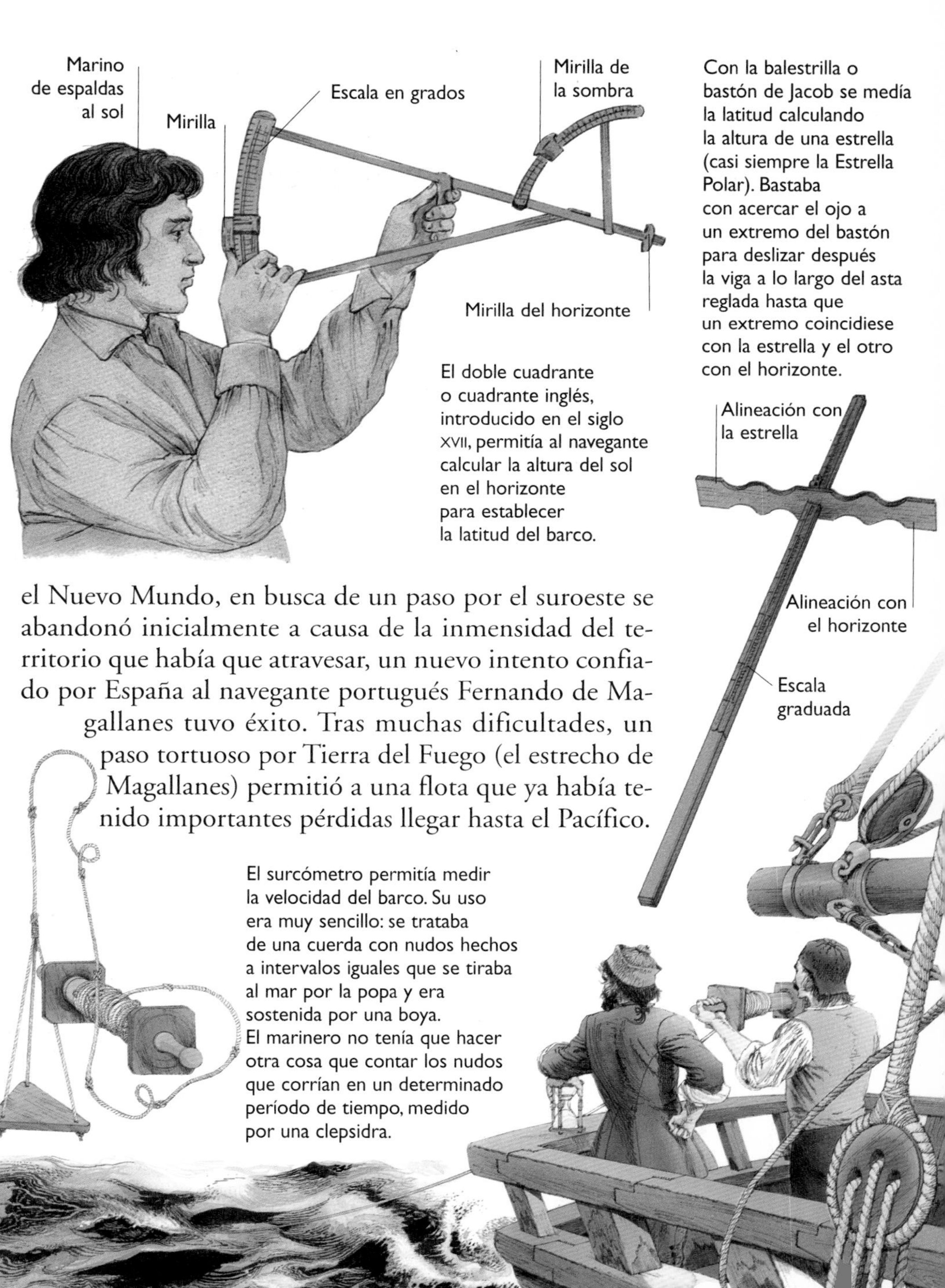

Con la balestrilla o bastón de Jacob se medía la latitud calculando la altura de una estrella (casi siempre la Estrella Polar). Bastaba con acercar el ojo a un extremo del bastón para deslizar después la viga a lo largo del asta reglada hasta que un extremo coincidiese con la estrella y el otro con el horizonte.

El doble cuadrante o cuadrante inglés, introducido en el siglo XVII, permitía al navegante calcular la altura del sol en el horizonte para establecer la latitud del barco.

el Nuevo Mundo, en busca de un paso por el suroeste se abandonó inicialmente a causa de la inmensidad del territorio que había que atravesar, un nuevo intento confiado por España al navegante portugués Fernando de Magallanes tuvo éxito. Tras muchas dificultades, un paso tortuoso por Tierra del Fuego (el estrecho de Magallanes) permitió a una flota que ya había tenido importantes pérdidas llegar hasta el Pacífico.

El surcómetro permitía medir la velocidad del barco. Su uso era muy sencillo: se trataba de una cuerda con nudos hechos a intervalos iguales que se tiraba al mar por la popa y era sostenida por una boya. El marinero no tenía que hacer otra cosa que contar los nudos que corrían en un determinado período de tiempo, medido por una clepsidra.

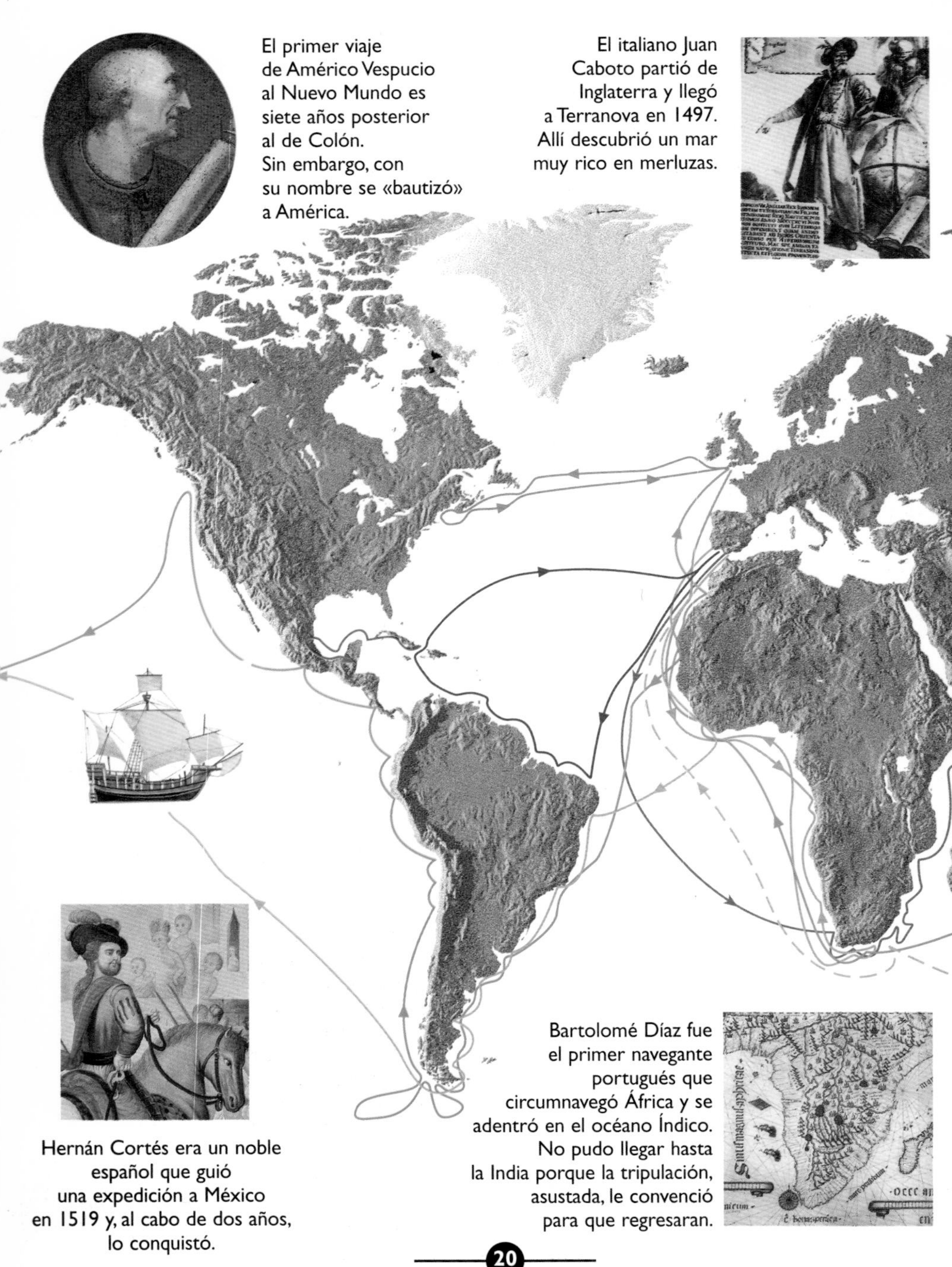

El primer viaje de Américo Vespucio al Nuevo Mundo es siete años posterior al de Colón. Sin embargo, con su nombre se «bautizó» a América.

El italiano Juan Caboto partió de Inglaterra y llegó a Terranova en 1497. Allí descubrió un mar muy rico en merluzas.

Hernán Cortés era un noble español que guió una expedición a México en 1519 y, al cabo de dos años, lo conquistó.

Bartolomé Díaz fue el primer navegante portugués que circumnavegó África y se adentró en el océano Índico. No pudo llegar hasta la India porque la tripulación, asustada, le convenció para que regresaran.

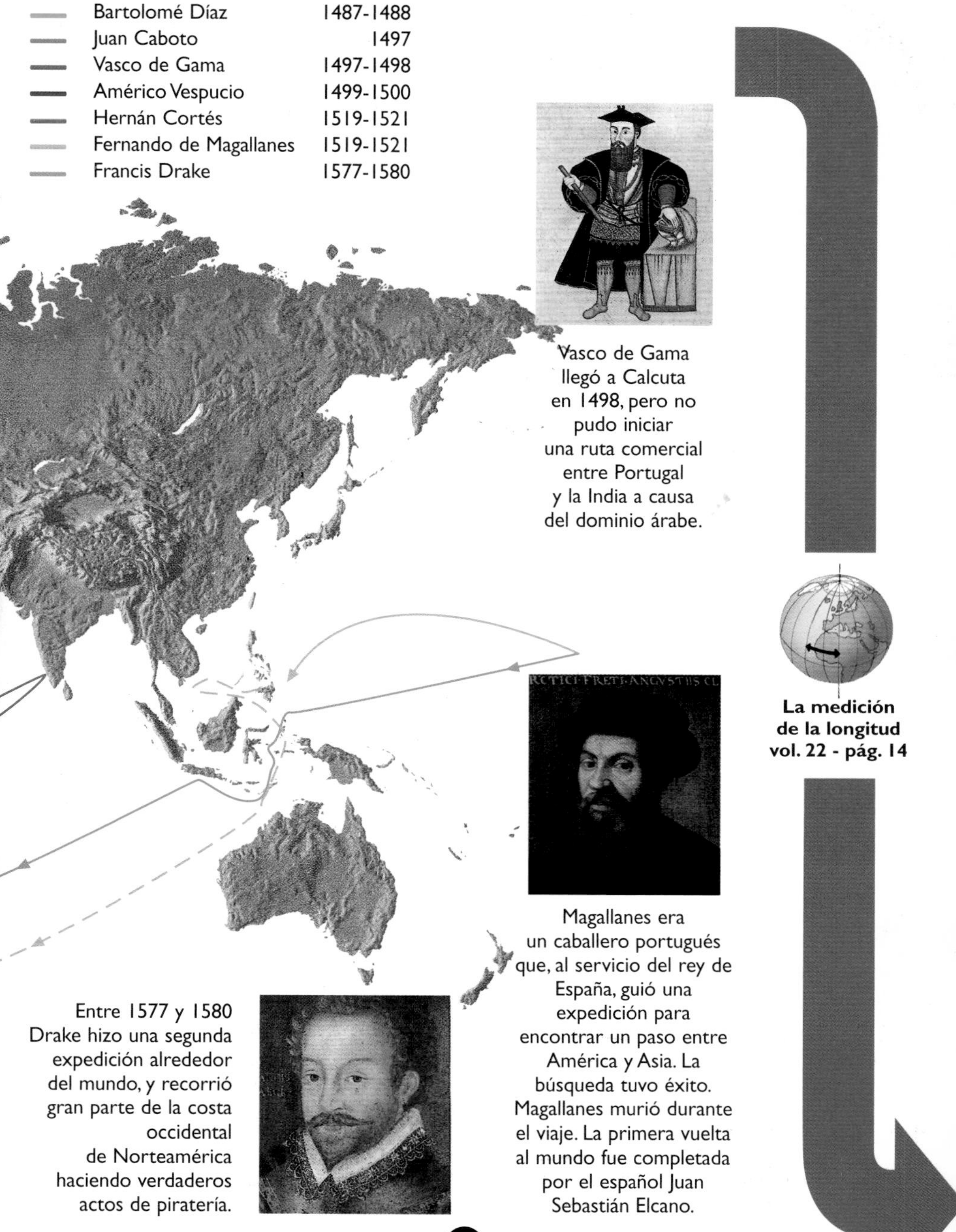

Vasco de Gama llegó a Calcuta en 1498, pero no pudo iniciar una ruta comercial entre Portugal y la India a causa del dominio árabe.

La medición de la longitud vol. 22 - pág. 14

Magallanes era un caballero portugués que, al servicio del rey de España, guió una expedición para encontrar un paso entre América y Asia. La búsqueda tuvo éxito. Magallanes murió durante el viaje. La primera vuelta al mundo fue completada por el español Juan Sebastián Elcano.

Entre 1577 y 1580 Drake hizo una segunda expedición alrededor del mundo, y recorrió gran parte de la costa occidental de Norteamérica haciendo verdaderos actos de piratería.

Las cartas de Mercatore

Gerardo Mercatore (Gerhard Kremer) ocupa un lugar muy importante en la historia de la cartografía. Hombre de vastos conocimientos matemáticos, astronómicos y geográficos, y de una gran cultura humanista, enseñó en Lovaina, donde fue encarcelado tras ser acusado de herejía a causa de su fe protestante. Abandonó los Países Bajos y se trasladó a Alemania, donde se dedicó durante casi cincuenta años a realizar mapas, globos terráqueos e instrumentos mecánicos. A principios del siglo XVI la mayoría de los mapas terrestres utilizaban algún tipo de proyección, mientras que los de navegación seguían siendo planos (o sea, la representación en un plano de una superficie que es en realidad una esfera). Concebidos para la navegación en un ambiente restringido y fácilmente medible, como es la cuenca del Mediterráneo, la insu-

Ciencia y tecnología en China vol. 20 - pág. 68

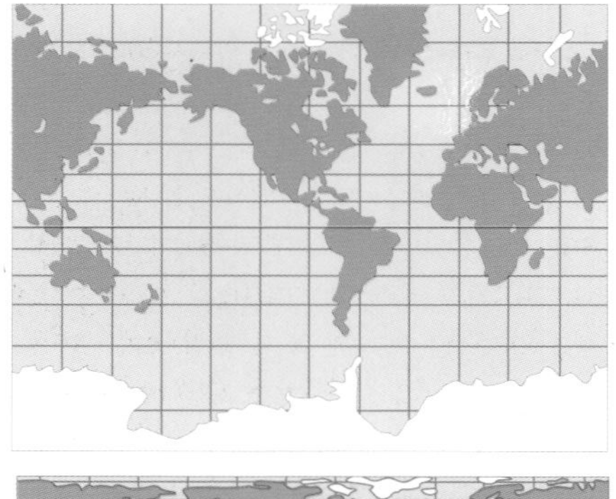

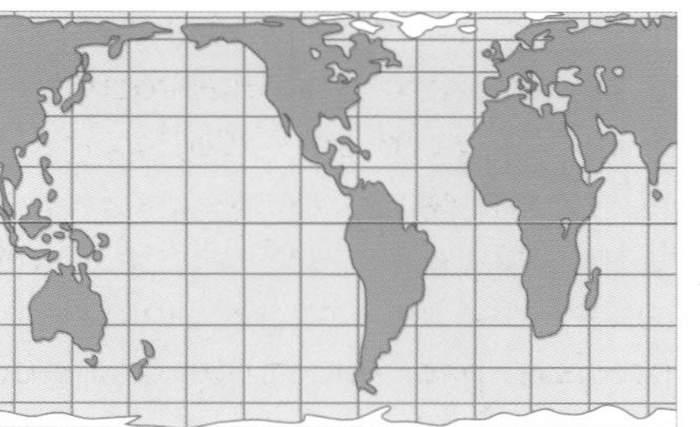

La proyección de Mercatore (arriba) tiene el defecto de que deforma las superficies terrestres más grandes cuando se avanza hacia los polos. En el planisferio de Arno Peters (izquierda), creado en 1974 para obviar este problema, a una representación «alargada» de los continentes corresponde una proporción correcta de sus superficies.

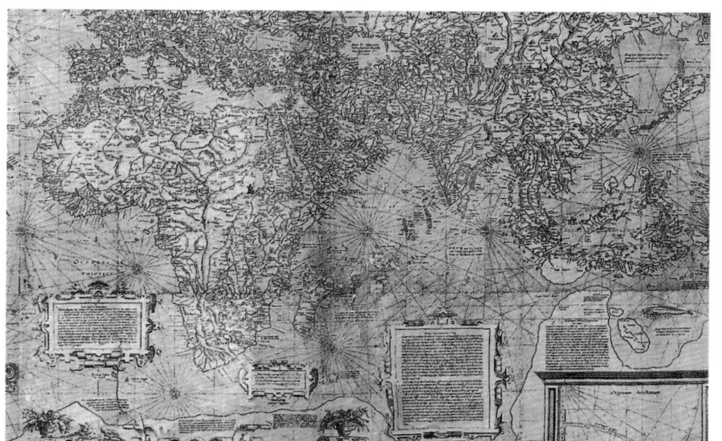

Para Mercatore, un mapa geográfico es algo más que un simple instrumento para su utilización práctica. Los numerosos textos que contiene un mapa tratan temas diversos, desde la historia de los pueblos hasta las técnicas de orientación y medición: este se concibe, por tanto, como una especie de libro, como un instrumento de lectura y consulta.

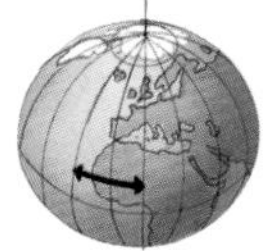

La medición de la longitud
vol. 22 - pág. 14

ficiencia de estos mapas y el margen de error que presentaban se hizo evidente cuando se pusieron a prueba en una extensión engrandecida por los nuevos descubrimientos geográficos.

Consciente de estos límites, Mercatore buscó una nueva solución cartográfica que tuviera en cuenta las exigencias de la navegación, y prestó especial atención al problema de una correcta determinación de la dirección. Al no considerar la convergencia de los meridianos, los mapas planos solían tender a la exageración, al irse alejando del ecuador, de las distancias este-oeste, mientras que las norte-sur eran correctas. Según los cálculos de Mercatore, si se exageran estas últimas las distancias resultan correctas. Así, en el mapa del mundo realizado en 1596 los meridianos se van ensanchando desde el ecuador hacia los polos. La consiguiente deformación de las regiones del globo emergidas era el precio que había que pagar para conseguir direcciones precisas: para encontrar una ruta bastaba con trazar una raya en el mapa.

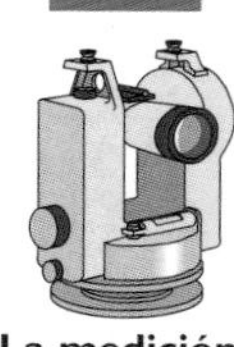

La medición de la Tierra
vol. 22 - pág. 18

NICOLÁS COPÉRNICO

Con Copérnico empezó una revolución, por él llamada copernicana, que marcó el nacimiento de la astronomía moderna. El sistema del mundo teorizado por Claudio Tolomeo, matemático y astrónomo griego que vivió en el siglo II d.C., se transformó completamente sobre la base de precisos cálculos matemáticos que demostraron su escasa credibilidad.

Nacido en Torún en 1473, el astrónomo polaco Niklas Kopperlingk, nombre latinizado en Copernicus, hizo sus primeros estudios en la universidad de Cracovia y se trasladó más tarde a Italia: entre 1496 y 1506 vivió en Bolonia, Roma, Padua y Ferrara. Tras volver a Polonia, se estableció en 1512 en Frauenburg, y trabajó allí en la obra que marca el inicio de la revolución astronómica, *De revolutionibus orbium coelestium (De la revolución de los cuerpos celestes)*, publicada en 1543, el año de la muerte de su autor.

En el sistema tolemaico la Tierra ocupaba, inmóvil, el centro de un universo concebido como perfectamente esférico. En torno a ella giraban a distintas distancias, encajonados en una especie de esferas concéntricas, sólidas, formadas de un material invisible y cristalino, los siete cuerpos celestes co-

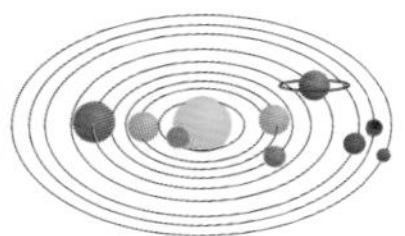

El sistema solar
vol. 5 - pág. 16

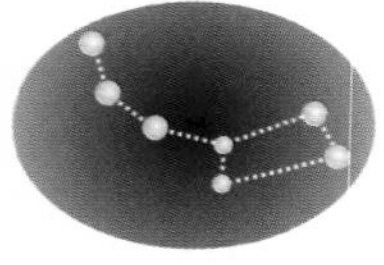

La astronomía griega
vol. 20 - pág. 38

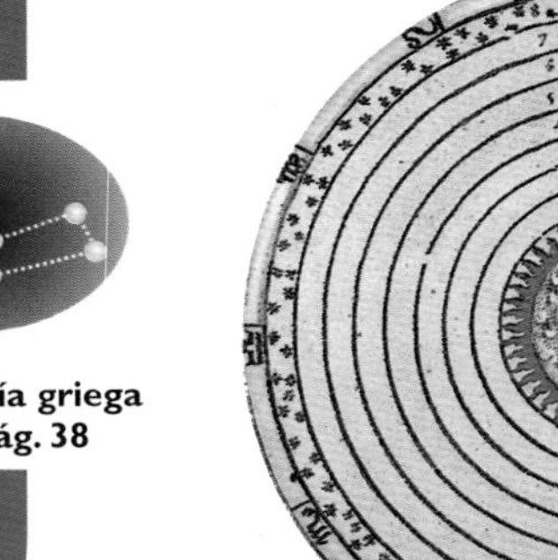

Entre los dos sistemas del mundo representados en las ilustraciones, el tolemaico de la izquierda y el copernicano de la página siguiente, las diferencias fundamentales son evidentes. Lo que puede ser interesante observar es que, más allá de estas divergencias sustanciales, Copérnico no cuestiona ni el carácter finito del universo, delimitado por la esfera exterior de las estrellas fijas, ni la realidad «sólida» de las esferas de cada planeta.

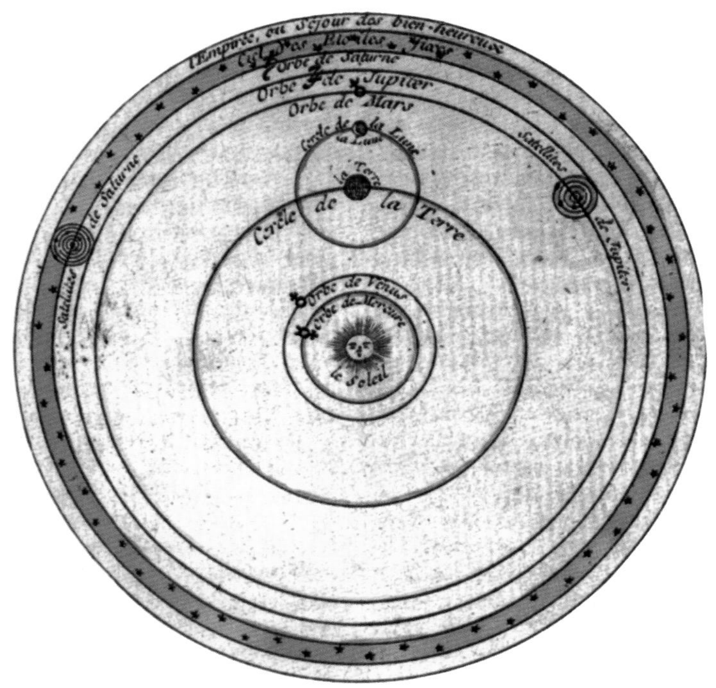

nocidos entonces: la Luna, Mercurio, Venus, el Sol, Marte, Júpiter y Saturno. La «carcasa» más externa del sistema estaba constituida por la esfera de las estrellas fijas. Copérnico se preguntó si todas las dificultades, surgidas del no siempre fácil acuerdo entre la observación de los movimientos celestes y el presupuesto de la inmovilidad de la Tierra, no podían explicarse de forma más sencilla si se tenía en cuenta el movimiento del observador. ¿No sería quizá la Tierra la que se moviese? Tras perder su posición privilegiada de eje inmóvil del universo, la Tierra se convertía en un planeta más y giraba, además de todos los días en torno a su propio eje, de forma perenne alrededor de un nuevo centro de revolución planetaria: el Sol. Cálculos matemáticos precisos confirmaron esta hipótesis. Una nueva imagen del mundo sustituía, así, a la antigua: se trató de una operación cuyos efectos, inmediatos y problemáticos, obligaron a volver a plantearse la posición misma del hombre en el universo.

Galileo Galilei
pág. 34

Tycho Brahe

Poco menos que autodidacta, el astrónomo danés Tycho Brahe se dedicó, siendo aún muy joven, al estudio de los cielos: con sólo 16 años, en 1572, el descubrimiento de una nueva estrella en la constelación de Casiopea dio un gran impulso a su carrera. Según los cánones de la cosmología aristotélica, el universo físico se dividía en dos zonas: la región situada por encima de la esfera de la Luna, reino de la perfección, de los movimientos reglados e inmutables, y el llamado «mundo sublunar», región del cambio y el desorden. Todos los fenómenos imprevistos y extraordinarios que aparecían en los cielos –cometas, meteoros, arcos iris– se colocaban inmediatamente en las regiones terrestres, por debajo de la Luna. Pero el observado por Tycho no era un cometa, sino una estrella surgida de la nada por encima de la esfera lunar, precisamente en la región de las estrellas fijas donde durante siglos se había excluido la posibilidad misma de una novedad. Los cielos –esta es la revolucionaria consecuencia de la observación de una estrella nueva– estaban sujetos, a partir de ese momento, a cambios tan importantes como los de las regiones sublunares: no había, por tanto, dos físicas distintas, una terrestre y otra celeste.

La observación del gran cometa de 1577 proporcionó a Tycho confirmaciones posteriores y la base del material de observación sobre el que edificaría su sistema. Estos fenómenos demostraban otra verdad fundamental: las esferas sólidas y cristalinas en las que la astronomía tradicional había encajado los planetas desde el siglo IV a.C. y los había hecho rotar eran una mera ficción. En efecto, si los cometas podían atravesarlos y cruzarlos libremente los cielos no podían estar «divididos en varias esferas de materia dura e impenetrable».

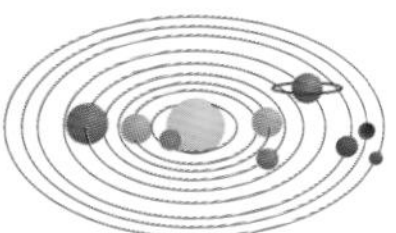

El sistema solar
vol. 5 - pág. 16

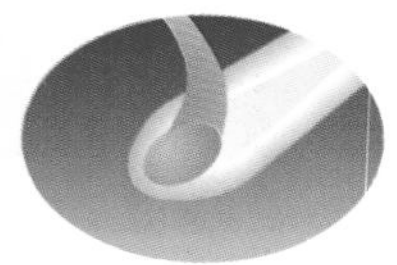

Los cometas
vol. 5 - pág. 60

Insatisfecho con el sistema tolemaico, Tycho Brahe no podía aceptar, a pesar de la admiración profunda que sentía por sus matemáticas, la hipótesis copernicana: el sistema «intermedio» propuesto por él era muy simple, y equivalía desde el punto de vista matemático al copernicano, aunque era mucho más tranquilizador desde el punto de vista de la fe. Alrededor de la Tierra, inmóvil en el centro del universo, giran, además de la Luna, tanto la esfera de las estrellas fijas (la única que Tycho sigue considerando sólida), que encierra todas las demás, como el Sol. En torno al Sol giran los otros cinco planetas.

El rey de Dinamarca regaló a Tycho la señoría de la isla de Hveen. Allí pasó más de veinte años construyendo el famoso castillo de Uraniborg, un verdadero observatorio astronómico de dimensiones gigantescas, dotado de laboratorios y de instrumentos de gran tamaño y precisión.

Halley y los cometas
vol. 22 - pág. 12

JOHANN KEPLER

Sincero admirador de la obra de Tycho Brahe, que reclamó su presencia en Praga, el matemático y astrónomo alemán Johann Kepler hizo suyo el sistema del mundo de Copérnico, con respecto al cual defendió un heliocentrismo aún más riguroso (para Copérnico el centro del universo coincidía con el centro de la órbita terrestre).

La serie de cálculos y observaciones inicialmente dedicados al estudio de la órbita de Marte alrededor del Sol llevó a Kepler a realizar descubrimientos de gran trascendencia. El movimiento del planeta mostraba notables variaciones de velocidad, sin seguir leyes evidentes y fáciles de enunciar. Hay que tener en cuenta que al desaparecer, gracias a Brahe, la realidad de las esferas cristalinas, había que buscar nuevas explicaciones para los movimientos orbitales. Sólo resolviendo problemas matemáticos de carácter extremadamente complejo se pudo llegar a descubrir la que hoy conocemos como «segunda ley de Kepler». Las variaciones de velocidad del movimiento de los planetas en sus órbitas (la relación entre las distintas velocidades de los planetas que se mueven en órbitas diferentes sería objeto de la «tercera ley de Kepler») recibieron, por fin, una adecuada expresión matemática, aunque esto no era suficiente para satisfacer a Kepler: ¿por qué motivo los planetas se mueven de acuerdo con una

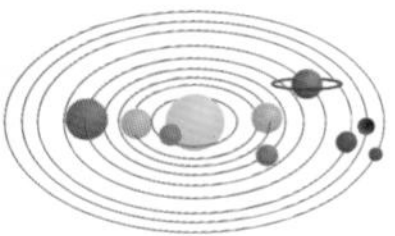

El sistema solar
vol. 5 - pág. 16

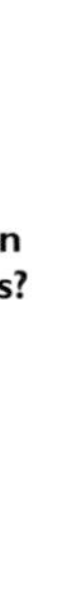

¿Por qué se mueven los cuerpos celestes?
vol. 2 - pág. 30

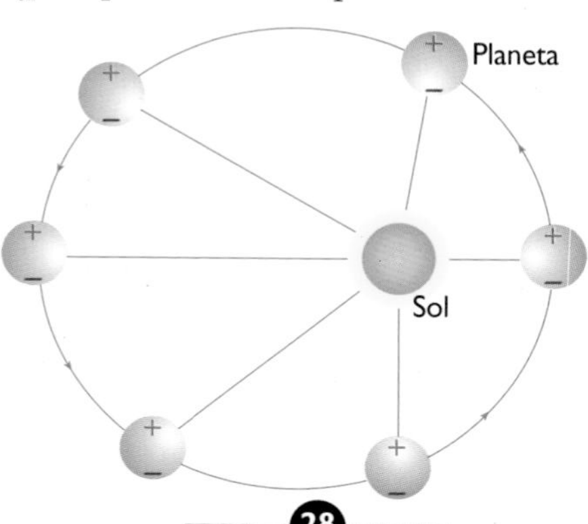

La proximidad al polo positivo o negativo de un planeta con respecto al Sol, concebido como un gran imán, determina, según Kepler, el movimiento de aproximación o alejamiento que da lugar a la órbita elíptica del propio planeta.

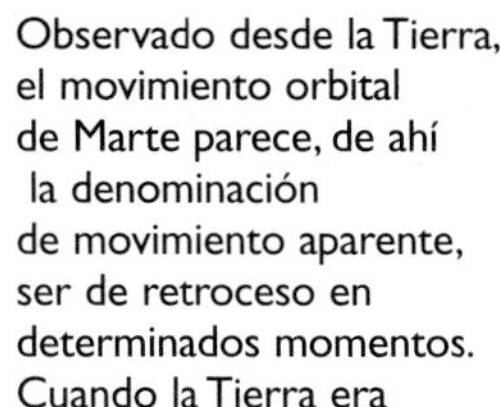

Observado desde la Tierra, el movimiento orbital de Marte parece, de ahí la denominación de movimiento aparente, ser de retroceso en determinados momentos. Cuando la Tierra era considerada el centro del universo esta anomalía fue explicada añadiendo al movimiento alrededor de la Tierra un segundo movimiento de la Tierra en una órbita más pequeña: el epiciclo.

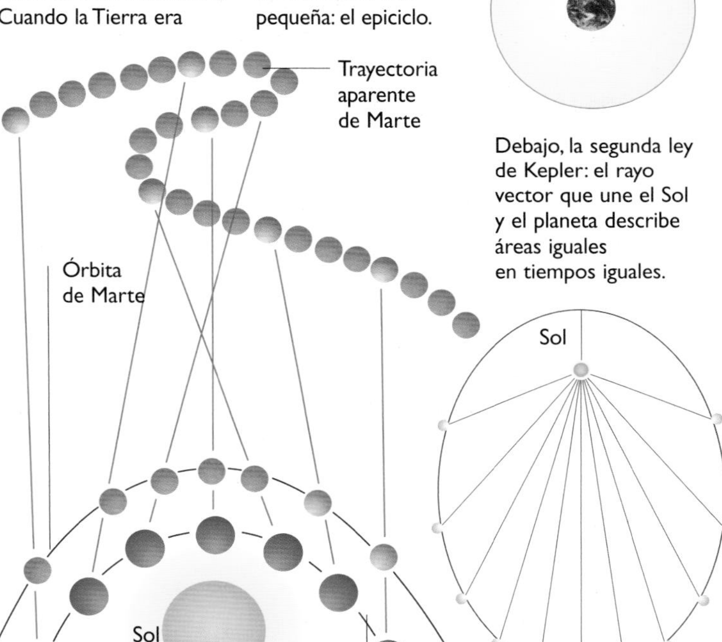

Debajo, la segunda ley de Kepler: el rayo vector que une el Sol y el planeta describe áreas iguales en tiempos iguales.

Newton y la astronomía pág. 86

ley determinada? La causa de que el movimiento de un planeta sea más veloz cuanto más cerca se encuentra del Sol, y viceversa, fue hallada en los fenómenos magnéticos.

Lo que hacía falta, llegados a ese punto, era una definición precisa de la forma de la órbita: la completamente circular no es, desde luego, compatible ni con la ley de las superficies ni con los datos observados. Tras «experimentos muy laboriosos» y «muchísimas observaciones» Kepler pudo llegar a determinar lo que hoy se nos presenta como un dato evidente, esto es, que «todos los planetas describen alrededor del Sol órbitas que tienen la forma de una elipse» (primera ley de Kepler).

LA ZOOLOGÍA DE ULISSE ALDROVANDI

Los invertebrados vol. 11

Los vertebrados vol. 12

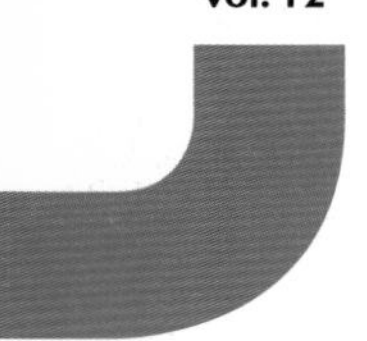

Además de crear el museo de Bolonia, uno de los más apreciados y visitados de Europa, y un jardín botánico igualmente célebre, Ulisse Aldrovandi dedicó gran parte de sus energías a escribir su monumental *Historia Natural*. Su interés por los distintos aspectos de la naturaleza sigue las repetidas incursiones en los sectores más disparatados del conocimiento humano: letras, lógica, derecho, filosofía, matemáticas, medicina. Tras obtener la cátedra de filosofía natural en el ateneo de Bolonia, del que fue pronto uno de los exponentes de más prestigio, Aldrovandi siguió viajando, recogiendo personalmente datos sobre los distintos objetos de estudio de la historia natural, consiguiendo una documentación lo más completa posible mediante un nutrido intercambio epistolar con los principales investigadores europeos.

Lámina que muestra una tortuga marina. Para la realización de las estupendas láminas de su *Historia Natural* Aldrovandi pidió la colaboración de un nutrido grupo de artistas: dibujantes, pintores y grabadores. En la descripción del animal representado se subrayan sus virtudes terapéuticas para curar diversas enfermedades del cuerpo humano.

A partir del siglo XVI las colecciones naturalistas, tanto públicas como privadas (sobre estas líneas, el museo de Ferrante Imperato), tuvieron un impulso y una difusión sin precedentes. El museo se convirtió en un lugar activo de la investigación científica, al poner al alcance de la mano del investigador objetos que, sin largos y costosos viajes, no habría podido estudiar.

Su *Historia Natural* es un tratado enciclopédico de tipo aristotélico (lejos aún la idea, llevada a cabo completamente en el siglo XVIII con la obra de Linneo, de la selección de un número restringido de caracteres esenciales según los cuales realizar la clasificación) que pretende ser un inventario completo de los distintos aspectos de la realidad natural. Se trataba de describir, ordenar y clasificar un número increíble de seres animados e inanimados: todos aquellos que, reales o mitológicos, «regulares» o monstruosos, habían sido observados directamente, habían sido citados en los textos antiguos de historia natural o aparecían descritos en los relatos a menudo imaginarios de viajeros por tierras lejanas o por la fantasía de las poblaciones indígenas. La clasificación tenía en cuenta tanto las características anatómicas y fisiológicas como las ecológicas (en función de la distribución ambiental) o de comportamiento, sin olvidar la relación de utilidad que los diversos seres descritos podían presentar para el hombre y los aspectos más curiosos de los mismos.

La clasificación de los seres vivos vol. 22 - pág. 16

BACON

Aún no siendo el autor de un gran «invento» o el promotor de una verdadera actividad experimental, el nombre del filósofo inglés Francis Bacon, lord canciller durante el reinado de Jacobo I, no puede faltar en un sitio privilegiado de la historia de la ciencia. Tras oponerse con vigor a la esterilidad del saber y de la lógica de la tradición, Bacon advierte con lucidez y claridad de la necesidad de una reforma, de una auténtica reorganización del conocimiento científico. Se tratará de una operación que abrirá nuevas vías a una concepción científica realmente nueva, un punto de referencia fundamental al menos hasta el siglo siguiente, cuando los autores de la *Enciclopedia* se propongan como honorables «ejecutores» de las voluntades de Bacon.

Lo que este filósofo persigue con más ahínco en gran parte de su vasta producción, y muy especialmente en *Novum Organum* (1620), es la teorización de un método experimental nuevo. Nuestro conocimiento surge de la experiencia, de los fenómenos de los que somos cotidianamente espectadores. Por eso, mediante un procedimiento específico denominado «inductivo», hay que apoderarse de las estruc-

Hombre, ciencia y tecnología vol. 20 - pág. 8

La imprenta vol. 20 - pág. 86

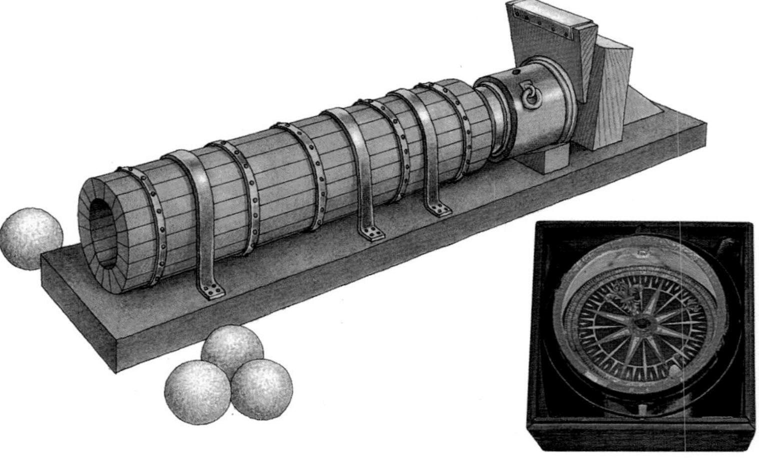

turas fundamentales, de las leyes que regulan los fenómenos naturales: sólo obedeciendo a las leyes de la naturaleza podemos convertirnos en sus dueños. Para Bacon el conocimiento no es nunca un fin en sí mismo: conocimiento y actuación coinciden o, por usar una célebre expresión de este autor, «saber es poder». La ciencia no debe convertirse en una actividad puramente teórica, sino que debe proporcionar medios para intervenir directamente en la realidad natural, sometiéndola a la utilidad de los hombres y proporcionándoles mejores condiciones de vida. Así, a las artes mecánicas, al conjunto de procedimientos y técnicas usados por los artesanos, a todo el patrimonio de conocimientos generalmente marginados de la ciencia oficial, la «historia natural» de Bacon reconoce un papel y una importancia hasta entonces desconocidos.

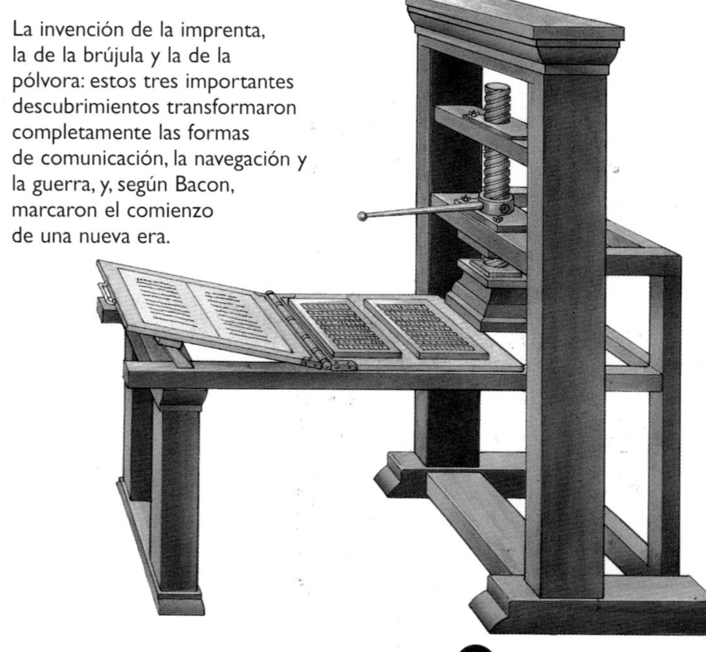

La invención de la imprenta, la de la brújula y la de la pólvora: estos tres importantes descubrimientos transformaron completamente las formas de comunicación, la navegación y la guerra, y, según Bacon, marcaron el comienzo de una nueva era.

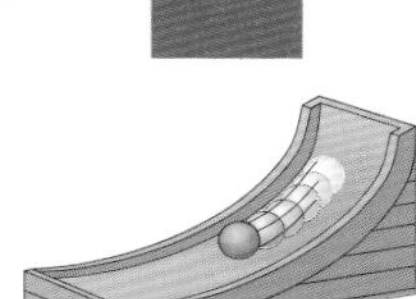

Galileo y el método científico pág. 38

Las academias científicas pág. 78

GALILEO GALILEI

Leonardo da Vinci
vol. 20 - pág. 88

Reconocido universalmente como uno de los padres indiscutibles de la ciencia moderna –a él debemos la primera elaboración completa del método experimental–, Galileo nació en Pisa el 15 de febrero de 1564. Tras abandonar los estudios de medicina, impuestos por la familia, recibió un primer encargo como lector de matemáticas en el ateneo de Pisa. Obtuvo la cátedra de matemáticas en Padua (1592) y se dedicó al estudio de varias cuestiones técnicas, entre ellas las inherentes a la arquitectura militar y las fortificaciones. En 1609, la noticia de la reciente invención del telescopio orientó sus investigaciones hacia la astronomía. Los admirables resultados obtenidos durante sus primeras investigaciones telescópicas aparecieron al año siguiente en *Sidereus Nuncius (Mensaje sideral)*, ensayo cuya resonancia valió a Galileo una fama inmediata. En el verano de 1610 abandonó Padua: le esperaba en Florencia el importante puesto de matemático y filósofo del Granduque. Tras un perí-

Se dice que Galileo instituyó el principio del isocronismo del péndulo observando casualmente las oscilaciones de esta gran lámpara de la catedral de Pisa; según este principio la duración de las oscilaciones de un péndulo es siempre la misma, independientemente de su amplitud. De aquí surgiría la idea de aplicar el principio del péndulo a los relojes.

Nicolás Copérnico
pág. 24

Los personajes que aparecen en la portada del *Diálogo sobre los dos máximos sistemas del mundo, tolemaico y copernicano* (1632) son, de izquierda a derecha, Aristóteles, Tolomeo y Copérnico. El noble veneciano Giovan Francesco Sagredo, interlocutor abierto a las novedades; el defensor de la autoridad y la tradición, el aristotélico Simplicio; y el científico copernicano, el florentino Filippo Salviati, son los tres protagonistas de la obra.

odo de grandes consensos y manifestaciones de benevolencia por parte de figuras destacadas de la curia romana, empezaron los primeros problemas para Galileo tras su carta a la dama Cristina de Lorena (1613), en la que trataba la incauta cuestión de la relación entre ciencia y fe. En 1616 la hipótesis copernicana fue condenada por el Santo Oficio: Galileo fue obligado a no defenderla en sus escritos. Un año después de la publicación del *Ensayista* fue nombrado Papa, con el nombre de Urbano VIII, el cardenal Barberini, que siempre había mostrado hacia Galileo una gran tolerancia y simpatía. La publicación del *Diálogo sobre los sistemas máximos* (1632) marcó el final de esta relación: Galileo había ignorado las repetidas órdenes del pontífice de tratar la astronomía copernicana como una mera hipótesis matemática, carente de una realidad física. Interrumpida la venta del libro, Galileo fue llamado a Roma, obligado a abjurar y condenado por el tribunal del Santo Oficio (1633). Pasó los últimos años de su vida en la villa florentina de Arcetri.

Isaac Newton
pág. 80

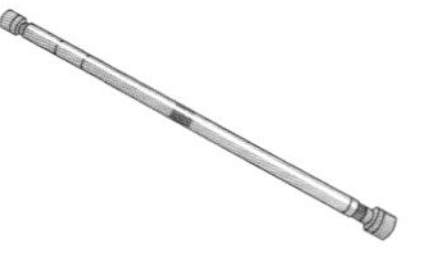

El telescopio de Galileo

En mayo de 1609 Galileo dio la noticia de la fabricación, por parte de unos artesanos holandeses, de «un anteojo por medio del cual los objetos, aunque alejados del ojo, se ven claramente, como si estuvieran cerca»: se trataba de un instrumento al que poco después los académicos de los Lincei darían el nombre de telescopio. El «anteojo», que Galileo reprodujo pronto en Padua, incluía una combinación de dos lentes –ambas planas por un lado, pero una cóncava y la otra convexa por el otro– ubicadas en un extremo de un tubo de plomo: así observados, se ven los objetos bastante agrandados. Este invento fue mejorándose poco a poco y pronto Galileo construyó un aparato capaz de aumentar el tamaño del objeto observado, al menos 30 veces. Vistas sus posibles aplicaciones al sector bélico y a la navegación, ya conocidas por los holandeses, Galileo supo aplicar el telescopio para algo totalmente inédito: la observación del cielo.

Fue como encender una luz en un ambiente de penumbra, apenas iluminado por una vela: un pelotón de estrellas nuevas acudió en tropel a poblar el cielo; la Vía Láctea, tradicionalmente considerada un cometa o un efecto

Las lentes
vol. 4 - pág. 32

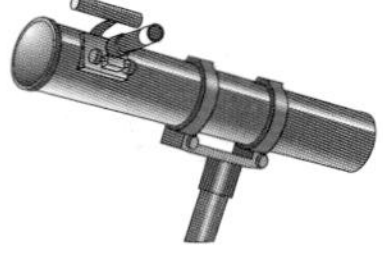

El telescopio
vol. 4 - pág. 38

El cosmos
vol. 5

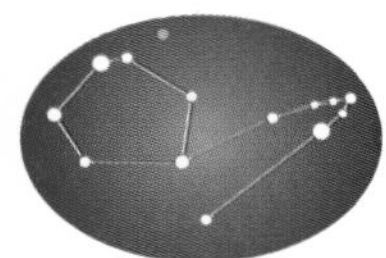

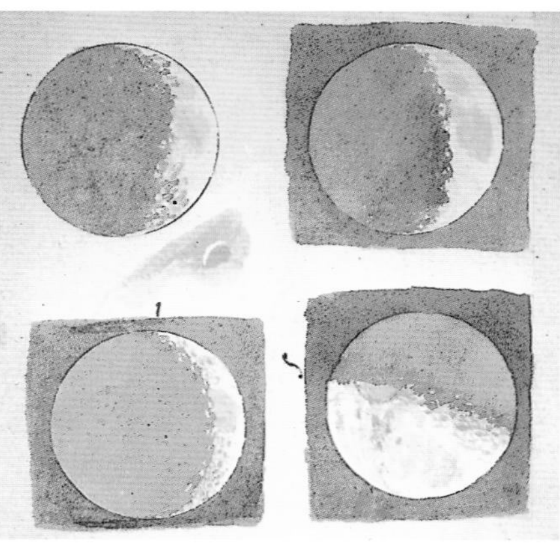

Izquierda, estos dibujos del *Sidereus Nuncius* muestran algunas imágenes de la observación telescópica de la Luna. Midiendo las sombras en su superficie Galileo pudo calcular que sus relieves debían ser superiores a los terrestres.

Galileo muestra el telescopio a los senadores vénetos. Tras la publicación del *Sidereus Nuncius*, el Senado de Venecia hizo generosas ofertas a Galileo para que se quedara.

Para muchos de sus amigos abandonar la tolerante República véneta constituía un grave riesgo para el científico de Pisa.

Galileo y la nueva astronomía pág. 40

del reflejo de la luz solar y lunar, resultó ser un enjambre de estrellas. El éxito del *Sidereus Nuncius*, texto que hacía pública la descripción del nuevo aparato y comunicaba su utilidad para la observación astronómica, fue clamoroso, aunque no faltaron los enemigos irreductibles de esta innovación tecnológica. Junto a algunos que se negaron obstinadamente a mirar a través del instrumento, argumentando que si Dios hubiera querido dotarnos de una visión tan amplia lo habría hecho amplificando naturalmente nuestros sentidos, hubo otros que atribuyeron los nuevos fenómenos celestes, descubiertos gracias a la observación telescópica, a engaños ópticos causados por las lentes.

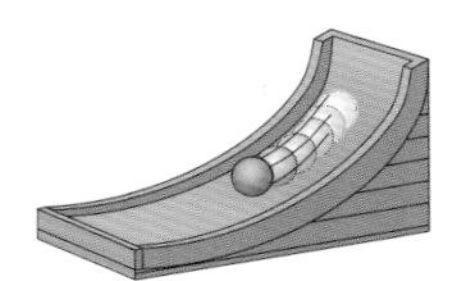

GALILEO Y EL MÉTODO CIENTÍFICO

De la magia a la ciencia
pág. 8

Bacon
pág. 32

Para investigar un fenómeno o un grupo de fenómenos, por ejemplo la caída de un objeto pesado, lo primero es reconocer en detalle todas las circunstancias que lo acompañan para, más tarde, reducir el fenómeno en cuestión a su expresión matemática, liberándolo de todas esas apariencias sensibles no cuantificables y subjetivas, como el color, el gusto, el sonido, etc. En efecto, el orden que regula los distintos fenómenos naturales es, según Galileo, un orden de tipo geométrico: las relaciones entre esos hechos pueden expresarse en forma de proporciones y leyes matemáticas. El gran libro de la naturaleza -es una de las tesis más famosas del *Ensayista-* «está escrito en lenguaje matemático y los caracteres son triángulos, círculos y otras figuras geométricas». El objetivo de la ciencia de Galileo consiste en buscar explicaciones a los fenómenos, en otras palabras en descubrir una ley capaz de describir un fenómeno determinado y de predecir cómo evolucionará en el futuro. Para ello hay que elaborar una hipótesis de una teoría y un modelo en el que los datos derivados de la observación resulten coherentes con la propia teoría. Según este método se pueden anticipar, deducir nuevos aspectos inicialmente desconocidos ligados al fenómeno de partida y extender así nuestro conocimiento inicial.

La última fase del método de Galileo consiste en comprobar de forma experimental estas anticipaciones: si lo que hemos deducido resulta verificado por la experiencia estaremos seguros de que la teoría es válida. El recorrido metodológico descrito –de la observación a la elaboración de una hipótesis y su comprobación mediante la realización de varios experimentos– constituye la principal herencia de Galileo: así siguen trabajando, a grandes rasgos, los científicos modernos.

Experimento de Galileo en el ámbito del estudio de la caída de los cuerpos.

Para medir los tiempos y los espacios recorridos por un cuerpo durante el movimiento descendente, Galileo usa los planos inclinados. El tiempo empleado por las bolas para recorrer varias distancias se mide por la media del pulso cardíaco de algunos de sus asistentes.

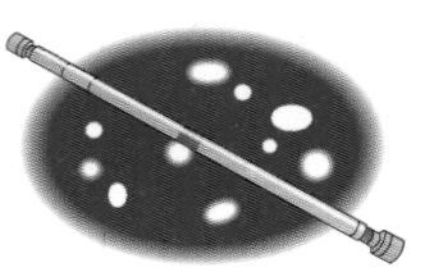

GALILEO Y LA NUEVA ASTRONOMÍA

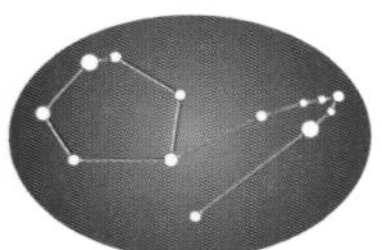

El cosmos
vol. 5

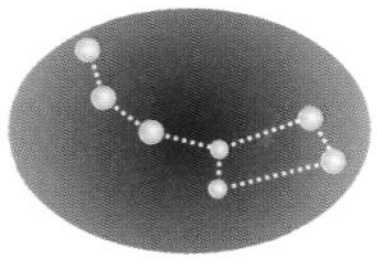

La astronomía griega
vol. 20 - pág. 38

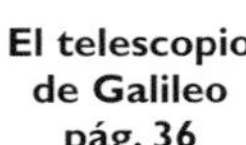

El telescopio
de Galileo
pág. 36

Por lo que se ve en la primera carta enviada a Kepler (1597), Galileo se adhirió muy pronto, aunque no abiertamente, a la teoría copernicana. Los nuevos descubrimientos realizados a partir de 1609, que fueron posibles gracias a la invención del telescopio, fueron interpretados por él como una confirmación de la validez de la nueva astronomía. La observación demostraba que, además de ser una bella hipótesis matemática sobre los movimientos planetarios, el heliocentrismo es la descripción coherente de una realidad física. En primer lugar, se trató de la solución a una grave objeción avanzada por Tycho Brahe sobre la ausencia de un paralaje observable desde las estrellas. En la hipótesis copernicana esta ausencia se justificaría, según Tycho, con dos condiciones: si se extendían indefinidamente los confines del universo y si se imaginaban las estrellas más lejanas como cuerpos inmensos, de una extensión equivalente a la de la órbita terrestre, para resultar visibles. La observación con el telescopio pareció resolver el problema: Galileo vio muchas más estrellas, pero no mayores de lo que se pensaba. Otras confirmaciones surgieron de las observaciones de la Luna y el Sol. La primera muestra, con sus valles y sus montañas, una naturaleza si-

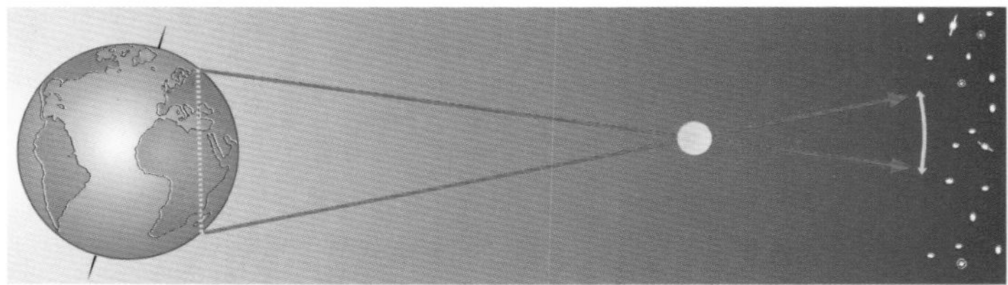

Dos observadores desde dos sitios alejados de la Tierra verán un objeto situado entre la Tierra y la esfera de las estrellas en puntos distintos. El paralaje es la diferencia, medida por el ángulo AOA', entre la posición de O visto desde A y la observada desde A'. El mismo problema puede aplicarse a la observación de las estrellas fijas desde puntos de la órbita terrestre durante la revolución en torno al Sol.

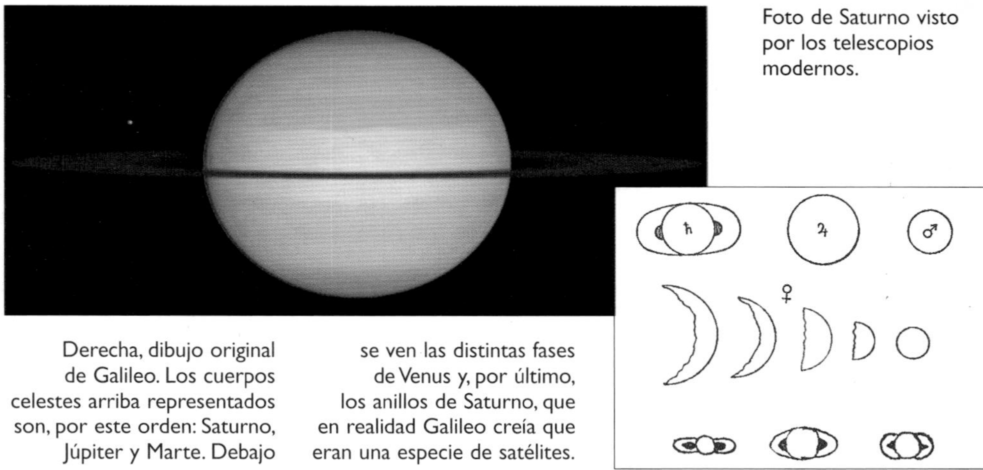

Foto de Saturno visto por los telescopios modernos.

Derecha, dibujo original de Galileo. Los cuerpos celestes arriba representados son, por este orden: Saturno, Júpiter y Marte. Debajo se ven las distintas fases de Venus y, por último, los anillos de Saturno, que en realidad Galileo creía que eran una especie de satélites.

milar a la de la Tierra, desmintiendo la distinción tradicional entre cuerpos celestes y terrestres, mientras que las evidentes «manchas» del Sol ofrecen una demostración evidente del movimiento de rotación en torno al eje solar, análogo a la rotación terrestre.

La observación de Júpiter y sus «lunas», que giran a su alrededor, proporcionó un ejemplo visible de la estructura del sistema solar como lo había imaginado Copérnico. Sin embargo, Venus dio las pruebas definitivas: sólo una revolución del planeta en torno al Sol muestra sus distintas fases a un observador en la Tierra.

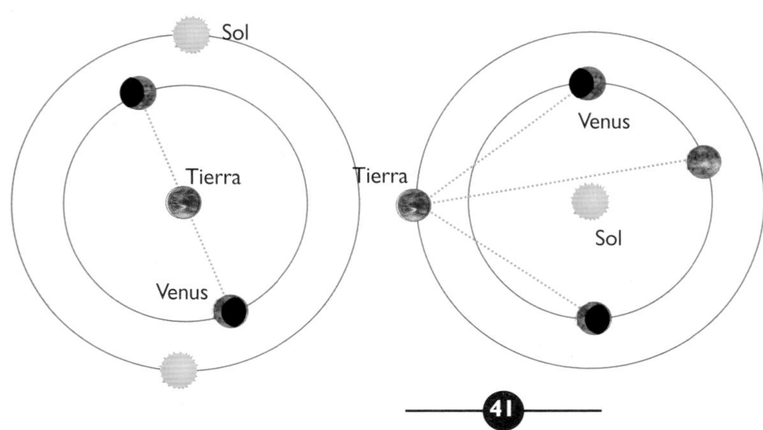

En la figura de la izquierda se muestra la visión que un observador tendría del planeta Venus en el contexto del sistema tolemaico. En esa situación sólo sería visible una porción de la cara del planeta iluminada por el Sol. La imagen de la derecha muestra, por su parte, que en la hipótesis copernicana el aspecto de Venus cambia considerablemente en función de la posición del planeta con respecto al Sol: cuando Venus está detrás de él se puede distinguir casi toda su cara iluminada.

El proceso a Galileo.
En 1979 el papa Pablo II reconoció que hombres e instituciones de la Iglesia cometieron con Galileo una «intervención indebida».

La mañana del miércoles 22 de junio de 1633 Galileo fue llevado a la gran sala del convento dominico de Santa María sopra Minerva.
Ante él se reunieron en congregación plenaria los cardenales del Santo Oficio y otros veinte testimonios.

«No sólo arma la opinión copernicana de argumentos nuevos (...) sino que lo hace en italiano, lengua (...) la más indicada para confundir al vulgo ignorante, al que es más fácil equivocar»: esta fue la acusación de los inquisidores al científico.

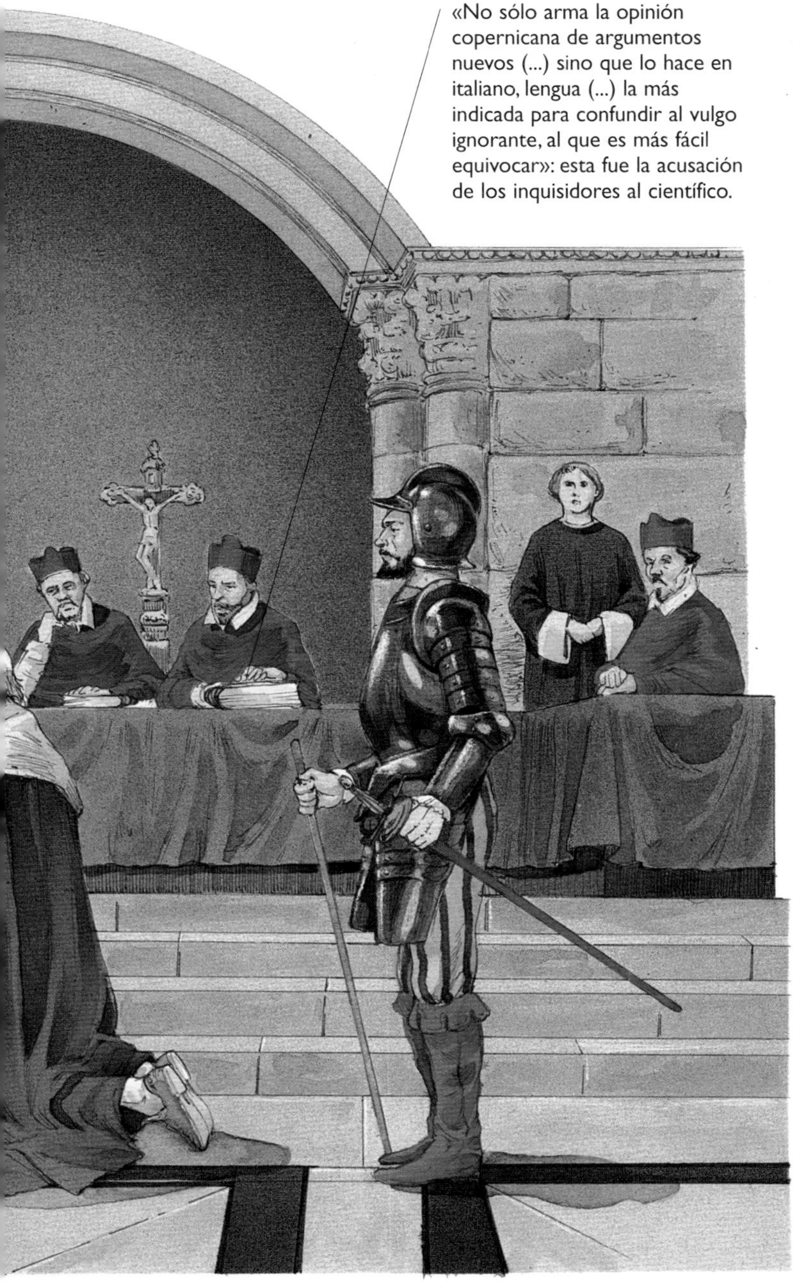

Newton
y la astronomía
pág. 86

DESCARTES

Filósofo de gran importancia en la historia del pensamiento moderno, de Descartes nos ocupamos aquí sólo por sus aportaciones de tipo científico. Una de sus contribuciones más conocidas por los estudiantes de todo el mundo es la realizada en el campo de la geometría: ¿quién no conoce las coordenadas cartesianas? Descartes hizo progresar la geometría analítica al demostrar que los problemas geométricos pueden tratarse como problemas algebraicos: se puede hacer una representación geométrica de una ecuación, de la misma manera que una ecuación puede expresar una curva, poniendo en relación órdenes de magnitudes aparentemente heterogéneas. Hay mucho que decir sobre la física cartesiana: destaca su precisa formulación del principio de inercia, según el cual –alejándose de las formulaciones hechas en el pasado (Copérnico y Galileo)– «cada cuerpo que se mueve tiende a

Euclides
vol. 20 - pág. 34

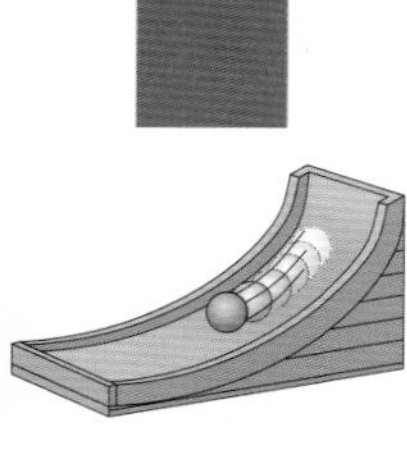

Galileo y
el método científico
pág. 38

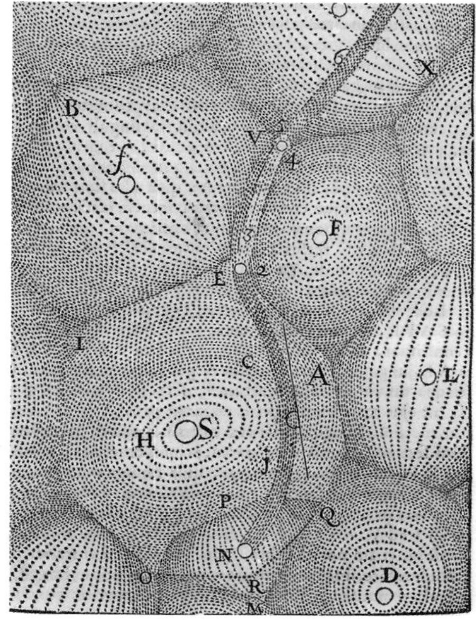

Para explicar la formación del orden actual del mundo a partir del caos se propusieron los «remolinos» cartesianos. Al no ser posible, en ausencia del vacío, un movimiento distinto del circular, Descartes imagina que las partículas de la materia originaria empezaron a girar alrededor de distintos centros, formando los remolinos. Varios choques, roces y roturas dieron origen a los tres estados fundamentales de la materia, denominados sólido, líquido e ígneo.

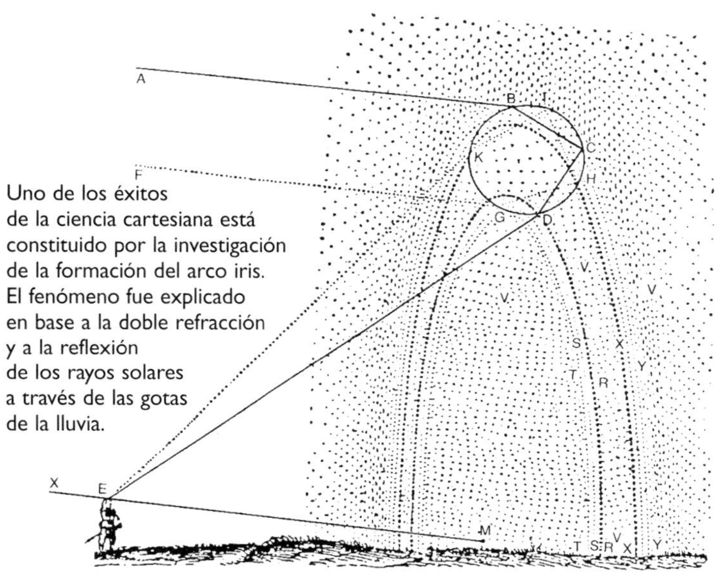

Uno de los éxitos de la ciencia cartesiana está constituido por la investigación de la formación del arco iris. El fenómeno fue explicado en base a la doble refracción y a la reflexión de los rayos solares a través de las gotas de la lluvia.

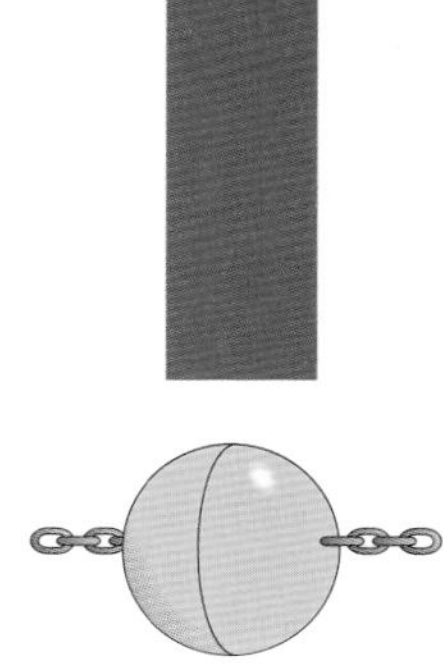

El descubrimiento del vacío pág. 52

mantener su movimiento en línea recta», y no «siguiendo líneas curvas». El mundo descrito por la ciencia cartesiana es un mundo perfectamente geométrico, un mundo cuantificable y expresable mediante leyes constantes y universales válidas para cada fenómeno físico: el movimiento de un astro y el de un ser vivo están regulados por las mismas leyes. Cualquiera que se quiera acercar al estudio de la naturaleza debe, según Descartes, mirarla como se mira una gran máquina –una máquina cuyo material y cuyas leyes han sido creadas por Dios–, descomponerla en sus elementos básicos y captar su funcionamiento.

El universo cartesiano es, igual que el aristotélico, un universo pleno: un cuerpo no puede desplazarse si no ocupa el lugar de otro, este el de un tercero, etc., hasta que el lugar del primero sea ocupado por un último cuerpo que cierra la serie. Para Descartes el vacío no existe: lo que nos parece hueco es sólo una ilusión derivada del hecho de que nuestros sentidos no pueden captar la fina materia que ocupa ese espacio.

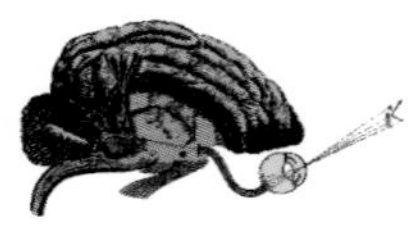

El mecanicismo

Lejos de recordar a un animal grande, el nuevo universo surgido de la revolución científica es concebido como una máquina, similar a un reloj cuyos movimientos, perfectamente conocibles, previsibles y cuantificables, no tienen otro origen que el de una fuerza material. Con respecto a la imagen que considera al universo físico como un gran ser orgánico, dotado de almas, apetitos, cualidades y virtudes recónditas, el mundo de Descartes es como un mundo «reducido a los huesos», sin cualificaciones ni secretos, fruto de una receta muy básica: materia y movimiento.

Para conocer la realidad que nos rodea y de la que nosotros formamos parte, hay que saber sobrepasar los datos inmediatamente sensibles de nuestra experiencia cotidiana, saber distinguir lo que es subjetivo y aparente de lo que es objetivo y real. Sólo de los aspectos que son inde-

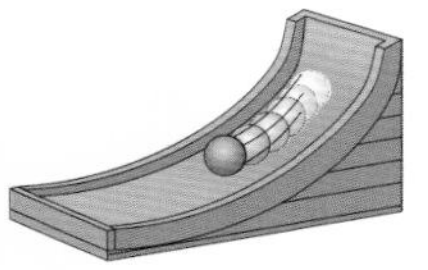

Galileo y el método científico pág. 38

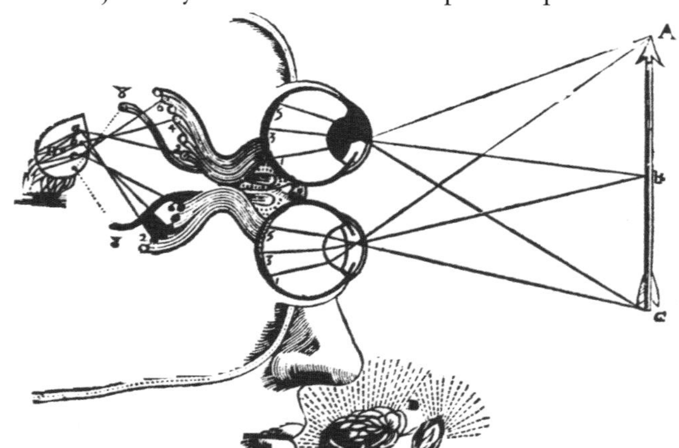

En el cuerpo las sensaciones (la imagen superior y la de la página siguiente han sido reproducidas de *El hombre* de Descartes) reciben una explicación mecánica. Efluvios de partículas procedentes de los objetos externos modifican, al entrar en contacto con los sentidos, la disposición de los filamentos que componen los nervios. A través de los nervios esta modificación es transmitida al cerebro.

pendientes de su relación con las percepciones humanas se puede obtener una ciencia universalmente válida. Movimiento, dimensión, forma del cuerpo y de sus elementos últimos, relación con respecto a otros cuerpos en un espacio: esto es realmente cognoscible en un objeto natural, sólo esto se puede cuantificar. A esta nueva forma de ver el mundo contribuyeron, aún sin llegar al mecanicismo radical de Descartes, gran parte de los protagonistas de la revolución científica: Kepler, Bacon y Galileo. El modelo mecánico inaugurado en el campo de las ciencias físicas se extendió pronto a la investigación de los seres vivos: un cuerpo humano o animal puede ser considerado una máquina formada por muelles, poleas, tornillos y tubos. Las ciencias biológicas se abrían, así, a la formulación cuantitativa que llevó a la física a una gran evolución.

Según Descartes, cuando el cuerpo entra en contacto con un objeto, en el cerebro hay una mayor apertura de algunos de sus poros. Un fluido (los espíritus animales) puede advertir la modificación que se ha producido y, al alcanzar los músculos, determinar un movimiento mecánico (la voluntad no puede intervenir de ninguna manera) de alejamiento o aproximación al objeto, en función de que sea perjudicial o útil para la conservación de la máquina del cuerpo.

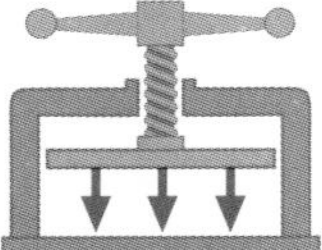

La presión
vol. 2 - pág. 52

Torricelli y el barómetro

La fama del científico italiano Evangelista Torricelli, exponente destacado de la «Escuela de Galileo», está ligada en gran medida a la invención del barómetro. El contexto en el que toma cuerpo este invento es el de una cuestión general en debate desde la antigüedad: la de la causa de la elevación del nivel del agua en las bombas aspiradoras. La respuesta dada por la tradición aristotélica era la del llamado *horror vacui*: se trataba de una invencible aversión de la naturaleza por el vacío y por eso el agua se elevaba en las bombas.
El hecho de que no se elevase a una altura superior a 18 brazos (unos 10 metros), como bien sabían los constructores de bombas y sifones, llevó a Galileo a pensar que esa resistencia de la naturaleza al vacío tenía límites. Algunas confirmaciones experimentales, aún hechas con agua, refrendaron la idea de Galileo, y en este contexto se inserta la experiencia de Torricelli. Este cogió un tubo de cristal cerrado en un extremo, de 1 metro de longitud y con una sección de 1 centímetro cúbico; lo rellenó de mercurio y después cerró con un dedo la apertura; le dio la vuelta y lo puso en un recipiente que también contenía mercurio. Tras quitar el dedo, Torricelli constató que el mercurio había bajado en el tubo, dejando un espacio vacío en la parte superior, y se había parado a una altura de 76 centímetros

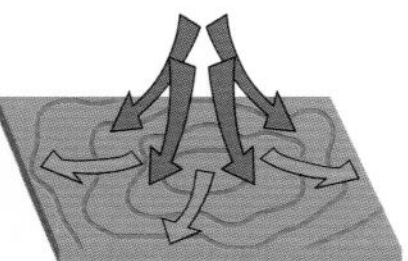

La presión
atmosférica
vol. 8 - pág. 28

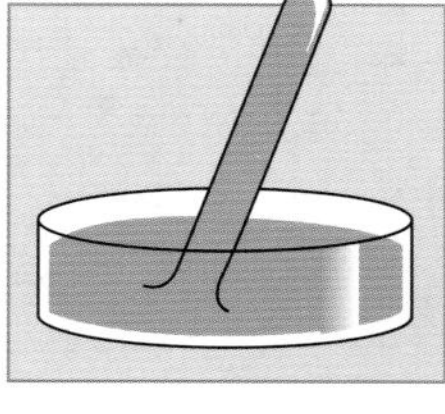

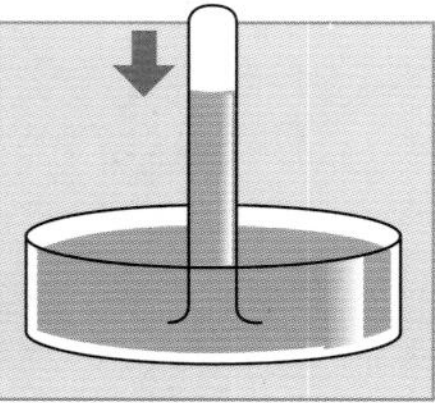

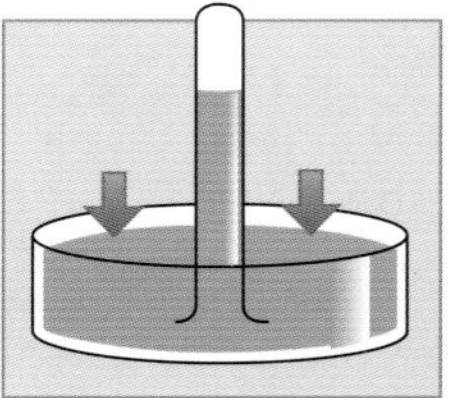

Tras llenar de mercurio una probeta, Torricelli la puso boca abajo en un recipiente que contenía mercurio. El nivel del mercurio de la probeta bajó. La presión atmosférica y el nivel del mercurio en la probeta tenían que ser dos fenómenos relacionados entre sí.

El experimento de Torricelli. La presión atmosférica produce en los tubos el mismo nivel de elevación del mercurio, a pesar de sus distintas dimensiones y tipologías.

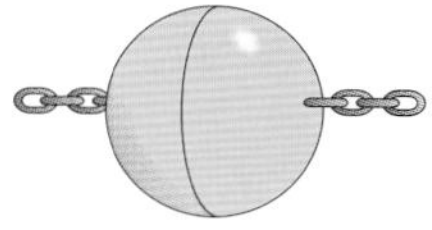

El descubrimiento del vacío pág. 52

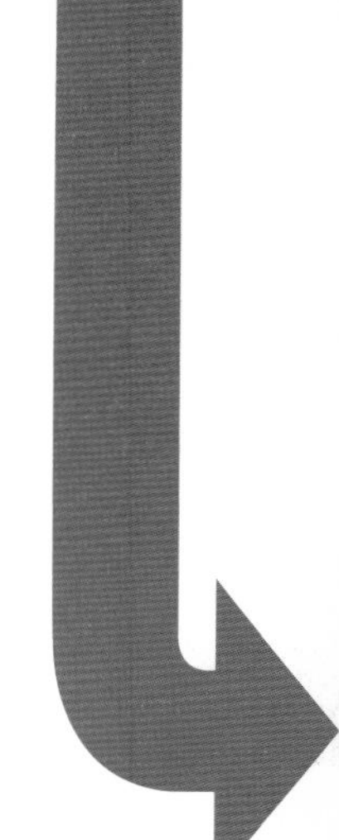

por encima de la superficie del mercurio del recipiente. ¿Cómo explicar este fenómeno? ¿No podía ser el peso ejercido por el aire, o sea la fuerza de la presión atmosférica sobre la superficie del mercurio contenido en el recipiente, el que determinaba el nivel del mercurio en el interior del tubo? Torricelli había observado que dicha altura no es siempre la misma al variar las circunstancias en las que se realiza el experimento. De acuerdo con su teoría, al variar la presión atmosférica debe variar también la altura del mercurio en el tubo; de ahí la idea de utilizar un dispositivo sencillo como el antes descrito para medir la presión: así aparece el primer barómetro en el mundo científico.

Blaise Pascal

El precoz talento matemático de Blaise Pascal, filósofo de gran importancia en el siglo XVIII, se concretó, tras la publicación del *Ensayo sobre las cónicas* (1640), tanto en la fabricación de una máquina calculadora como en los posteriores estudios sobre el cálculo de probabilidades y las leyes de la cicloide (una curva determinada por el movimiento de un punto situado en una circunferencia), origen, estas últimas, de las sucesivas conclusiones de Leibniz sobre el cálculo infinitesimal.

En el campo de la física destacaron las investigaciones sobre el vacío suscitadas por las mediciones barométricas de Torricelli. Tras repetir estos experimentos y dar cuenta de ellos en *Nuevas experiencias relativas al vacío* (1647), donde Pascal avanza cautamente la hipótesis de que los fenómenos en cuestión se pueden explicar mejor según el peso del aire que con la tesis aristotélica de la aversión de la naturaleza al vacío, la violenta reacción del jesuita padre Noël, gran defensor de la imposibilidad del vacío absoluto en la naturaleza, le indujo a hacer una experimentación más minuciosa. Así nació, en 1648, la célebre experiencia

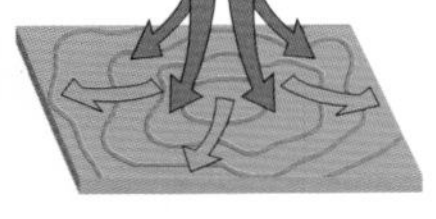

La presión atmosférica vol. 8 - pág. 28

El origen de las calculadoras modernas: la «pascalina» que Pascal realizó combinando conocimientos matemáticos y mecánicos con el fin, al parecer, de ayudar a su padre en los pesados cálculos que tenía que hacer como recaudador real de un impuesto, la «taille».

La experiencia del Puy-de-Dôme, dirigida por Pascal, pero cuya ejecución material fue confiada a su cuñado, Florin Périer. Tras un primer intento, que tenía en cuenta el control del nivel del mercurio sólo en la base y en la cima de la colina, se repitió el experimento más tarde en cinco puntos distintos y con distintas condiciones atmosféricas. Se obtuvieron los mismos, y reconfortantes, resultados.

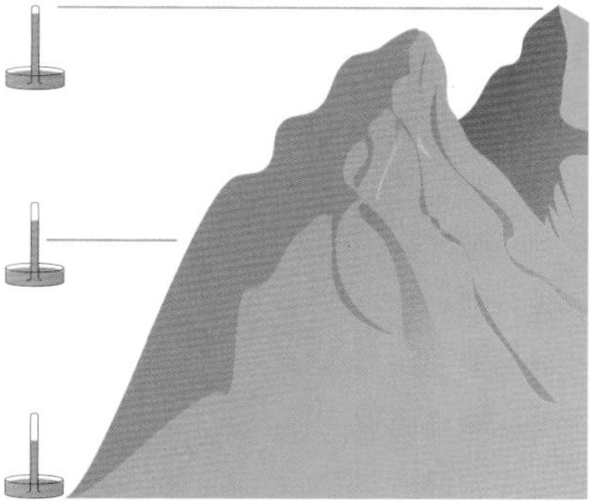

de la colina de Puy-de-Dôme. Medida con atención en la ciudad situada a los pies del Puy-de-Dôme la altura del mercurio en dos tubos de cristal idénticos, sumergidos en un recipiente, se procedió de la siguiente manera. Tras fijar uno de los dos tubos al recipiente y dejarlo en la situación de partida, se trataba de medir las eventuales variaciones en la altura del mercurio dentro del segundo tubo al alcanzar la cima de la colina: si el aire ejercía una presión, la misma disminuiría al ir ascendiendo, con la consiguiente bajada del nivel del mercurio. El nivel alcanzado por el mercurio en el segundo tubo resultó inferior al del primero, que se había dejado en la ciudad, en «tres pulgares y una línea»: la presión atmosférica no podía ser puesta en cuestión.

El descubrimiento del vacío

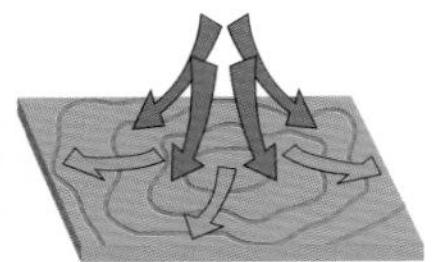

La presión atmosférica
vol. 8 - pág. 28

La polémica sobre la existencia del vacío absoluto en la naturaleza continuó, tras las experiencias descritas en los dos capítulos anteriores, durante bastante tiempo. Tanto el mundo descrito en la antigua física aristotélica como el más reciente de Descartes eran mundos plenos: ¿qué pensar entonces de los fenómenos descubiertos como consecuencia de las observaciones barométricas? El descenso del nivel del mercurio en los tubos inicialmente llenos, tras sumergirlos por la base en recipientes con el mismo elemento, ¿no dejaba acaso el vacío en la parte superior?
Uno de los intentos más importantes de demostrar de forma experimental la realidad del vacío fue el del burgomaestre de Magdeburgo, Otto von Guericke. En 1641 había protagonizado varios intentos infructuosos en este sentido. En un caso trató de bombear toda el agua con la que había llenado un barril, confiando en que la operación terminase con la producción del vacío en el mismo. El fracaso fue determinado por el hecho de que el aire entraba por las grietas del recipiente. Von Guericke repitió el experimento con una esfera de cobre dividida en dos partes perfectamente encastradas: arriba había un grifo y abajo

Descartes
pág. 44

Los dos colaboradores de von Guericke intentar sacar el agua del barril.

una bomba. En este caso la creación del vacío fue impedida por la implosión de la esfera, incapaz de soportar la violencia de la presión atmosférica. Pero la obstinación de von Guericke se merecía una recompensa. Una nueva esfera, más sólida y de forma más perfecta, fue capaz de resistir: se había creado, por tanto, la «nada» artificial. Estas investigaciones tuvieron un eco inmediato en Inglaterra, donde Robert Hooke y Robert Boyle no tardaron en poner a punto sus famosas bombas neumáticas.

El experimento de las llamadas «esferas de Magdeburgo», de von Guericke. Se trataba de dos hemisferios de bronce de unos 50 centímetros de diámetro, sujetos por una cinta de cuero. Una vez que se crea en ellos el vacío y quitada la cinta, la fuerza de la presión atmosférica sobre la superficie exterior de la esfera superaba a la de cuatro pares de caballos aplicada a cada hemisferio, al intentar separar ambas mitades.

EL RELOJ DE PÉNDULO

Desde la Edad Media se hacían mediciones mecánicas del tiempo: ya entonces existía un mecanismo que permitía la regularidad de la oscilación, la palanca de vara. En el siglo XVII fue introducido el péndulo, un significativo perfeccionamiento de los relojes. Galileo se había dado cuenta del principio del isocronismo (o sea, del hecho de que la duración de las oscilaciones de un péndulo es siempre la misma, independientemente de su amplitud) en 1581, tras observar las oscilaciones de una lámpara de la catedral de Pisa. Decidido en su vejez, ya ciego, a construir un aparato que se sirviese del péndulo para medir el tiempo, confió el encargo a su hijo Vincezo, pero este murió antes de poderlo construir.

Christiaan Huygens elaboró la primera teoría completa de las oscilaciones pendulares. Dedicado a esta cuestión desde 1656, la obra en la que explicó los resultados más com-

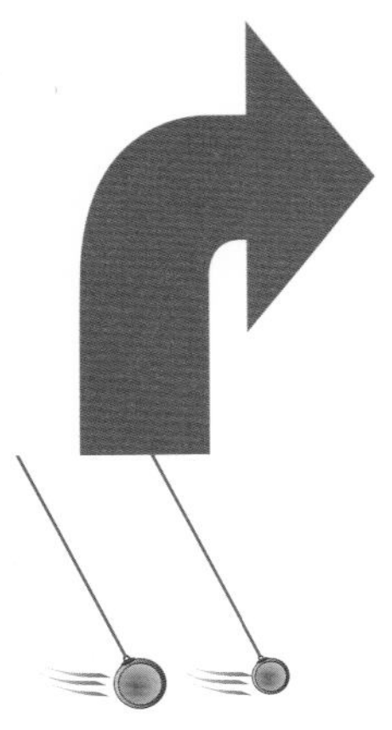

El péndulo
vol. 2 - pág. 34

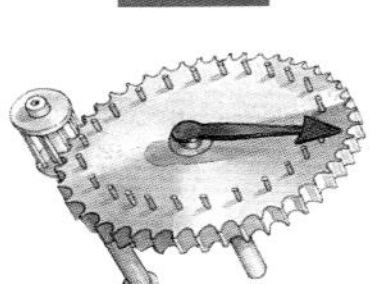

El reloj mecánico
vol. 20 - pág. 78

Galileo Galilei
pág. 34

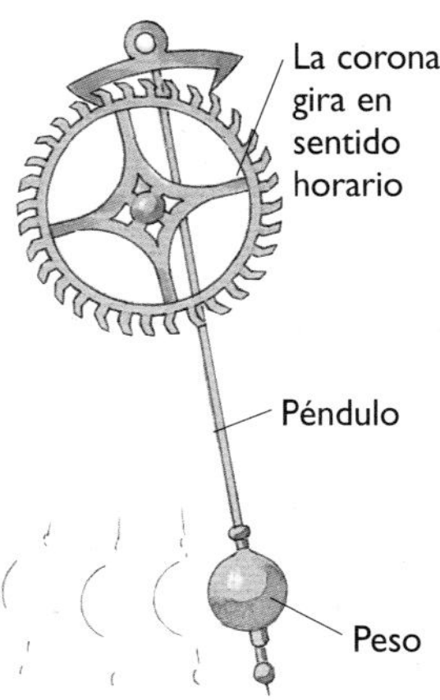

La corona de un reloj mecánico imprime al péndulo un impulso a cada oscilación,

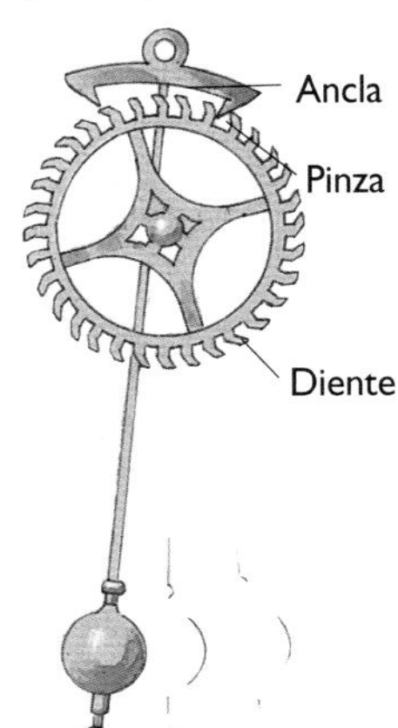

para que no se pare. Durante la oscilación un diente de la misma ejerce una presión

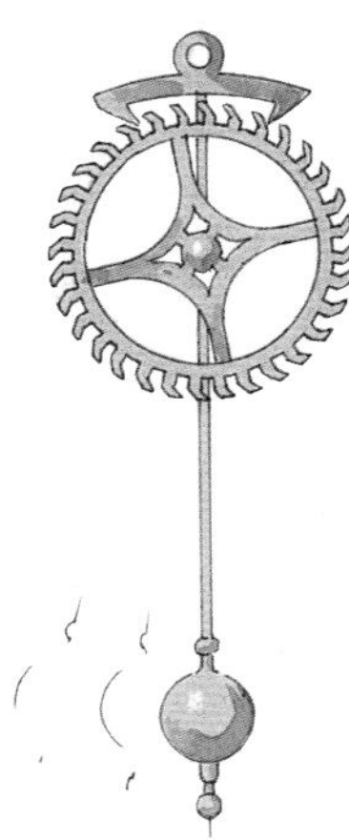

sobre una pinza del ancla hasta que otro diente se engancha en la otra pinza.

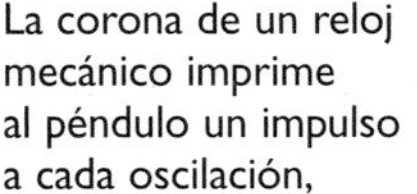

El reloj de Huygens con corona horizontal. El relojero holandés Salomon da Coster fabricó muchos relojes de este tipo.

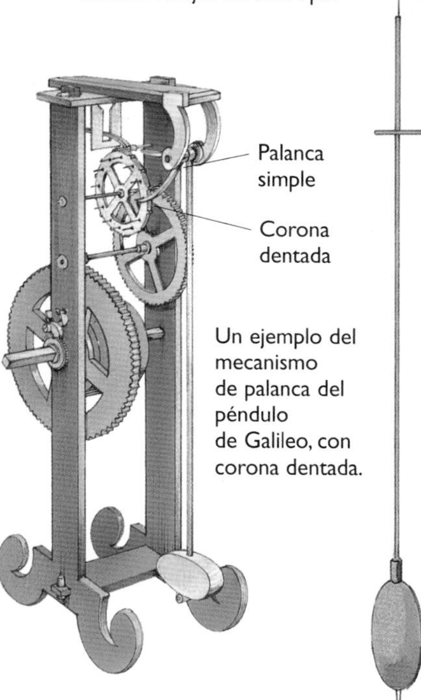

Un ejemplo del mecanismo de palanca del péndulo de Galileo, con corona dentada.

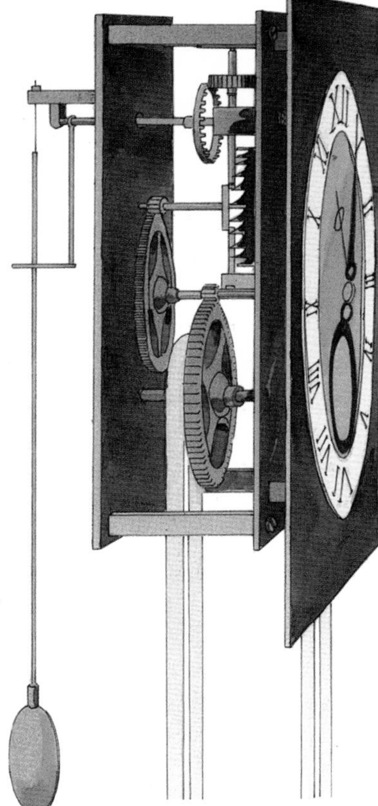

La medición de la longitud vol. 22 - pág. 14

pletos de sus investigaciones, *Horologium oscillatorium (Reloj oscilatorio)*, no fue publicada hasta 1673. A lo largo de los años Huygens había llegado a la conclusión de que se podía conseguir una isocronía total de los movimientos del péndulo haciéndolo oscilar sobre un arco cicloidal un poco más estrecho que un arco de círculo. La realización práctica de esta intuición, que incluía la incorporación de mecanismos especiales a uno de los brazos del ancla, proporcionó a la nueva ciencia, a la que se presionaba para que fuera cada vez más precisa -piénsese, por ejemplo, en todos los experimentos que tienen por objeto la caída de los cuerpos- un instrumento mucho más riguroso y fiable que los anteriores medidores del tiempo.

William Harvey

A base de diversas pruebas -desde disecciones anatómicas hasta experimentos de vivisección, desde argumentaciones de naturaleza más bien filosófica hasta consideraciones de tipo cuantitativo- el médico londinense William Harvey llegó a una conclusión que modificaría profundamente la concepción fisiológica contemporánea: el descubrimiento de la circulación de la sangre.

Mediante adaptaciones lógicas, el sistema galénico de la fisiología cardio-vascular había dominado hasta el siglo XVII. Galeno (siglo II d.C.) sostenía que la sangre era producida por el hígado y llegaba a través de las venas a los distintos órganos del cuerpo humano, que se alimentan de ella, y a la parte derecha del corazón. Desde aquí la mayor parte de ella es empujada hacia los pulmones, y una cantidad menor llega a las arterias. El sistema arterial y el venoso eran concebidos como dos sistemas separados, y ambos debían ser rellenados continuamente con

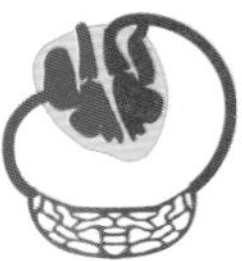

La circulación de la sangre
vol. 18 - pág. 34

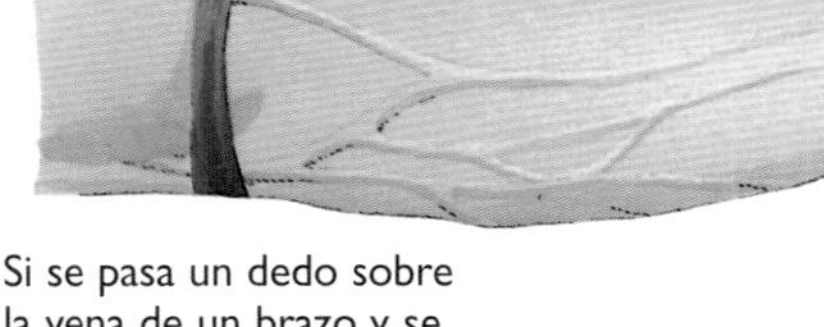

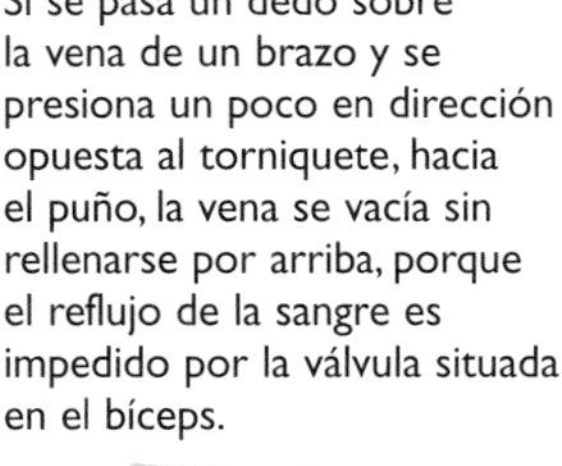

Si se pasa un dedo sobre la vena de un brazo y se presiona un poco en dirección opuesta al torniquete, hacia el puño, la vena se vacía sin rellenarse por arriba, porque el reflujo de la sangre es impedido por la válvula situada en el bíceps.

La medicina alejandrina
vol. 20 - pág. 46

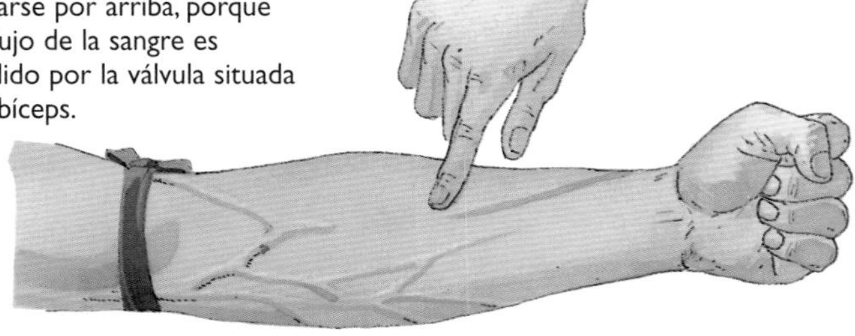

sangre nueva, dado el consumo constante realizado por el organismo. La publicación de *De motu cordis (Sobre el movimiento del corazón)* en 1628, marcó el fin de ese sistema. Tras haber constatado en 1618 que «la sangre pasa continuamente a través de los pulmones a la aorta» y demostrar recorriendo las ligaduras vasculares «que el paso de la sangre se efectúa de las arterias hacia las venas», Harvey llegó a la conclusión de que «el movimiento de la sangre es un círculo continuo y es impulsado por los latidos del corazón».

Así, en función de su naturaleza muscular, que Harvey había entendido bien, el corazón se convertía en el único motor del impulso centrífugo que garantiza la circulación de la sangre. No hay diferencia cualitativa entre sangre de las venas y sangre de las arterias, ni producción *ex novo*, como creía Galeno, sino un sistema circulatorio único y continuo entre las arterias y las venas, y viceversa.

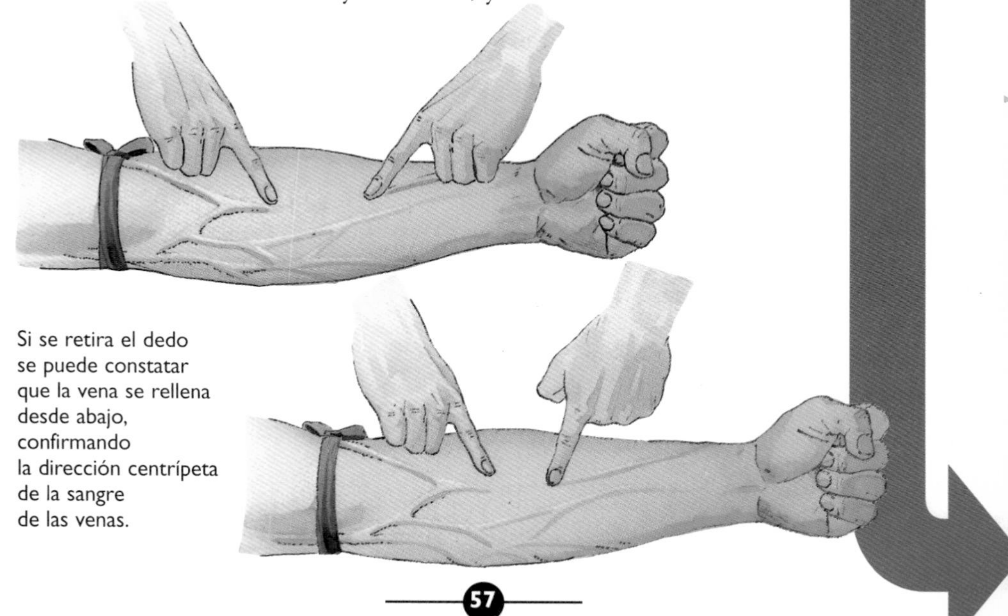

Si se retira el dedo se puede constatar que la vena se rellena desde abajo, confirmando la dirección centrípeta de la sangre de las venas.

EL NACIMIENTO DE LA QUÍMICA

La química
vol. 3

Con Robert Boyle, físico y químico irlandés, la química se inserta en el cuadro general de la filosofía mecánica. Hacia principios del siglo XVII los tres principios en los que Paracelso dividía la materia (sal, azufre, mercurio) eran habitualmente aceptados por los llamados químico-médicos. En este período la química iba a convertirse en una disciplina autónoma aunque, inicialmente, se estudiaba en sitios no universitarios (jardines botánicos, farmacias, etc.).

Además, hubo agrios debates que, en las primeras décadas del siglo, afectaron a varios aspectos de la filosofía química –por ejemplo, los relativos al número y la naturaleza de los elementos–, dándole una nueva orientación al pensamiento, muy importante para la historia de la química, al imponer un modelo alternativo al de Paracelso. No se puede considerar a Robert Boyle como el padre de la química moderna: esta sólo nace con el reconocimiento de la existencia de elementos químicos. Sin embargo, hay que reconocerle el mérito de haber dado un cambio radical a esta disciplina. Ya hemos podido ver el papel representado por la alquimia –sobre todo en la tradición de la iatroquímica– en el desarrollo de la química. Aunque no se puede identificar el origen de la química -un conjunto complejo de estímulos y sugestiones procedentes de sectores operativos y teóricos muy distintos entre sí- como un simple desarrollo interno de la tradición alquímica, el impulso ofrecido por esta última fue en cualquier caso muy grande. La química se liberó así del dominio del mago o el alquimista, del reino de las esencias y de las cualidades ocultas de los elementos últimos de la materia. La materia no se resuelve ni en los cuatro elementos aristotélicos ni en los tres principios de Pa-

Paracelso
pág. 10

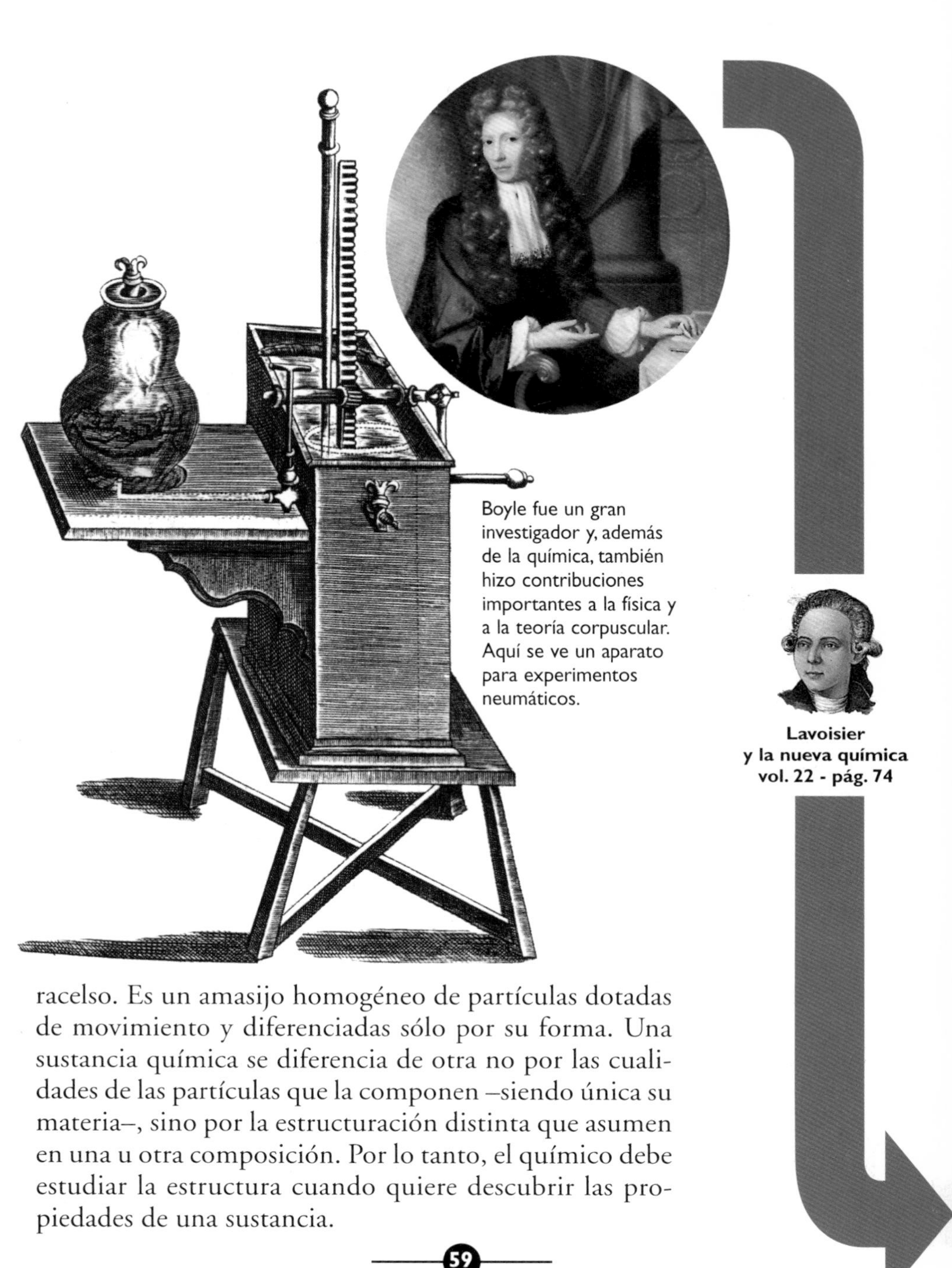

Boyle fue un gran investigador y, además de la química, también hizo contribuciones importantes a la física y a la teoría corpuscular. Aquí se ve un aparato para experimentos neumáticos.

Lavoisier y la nueva química vol. 22 - pág. 74

racelso. Es un amasijo homogéneo de partículas dotadas de movimiento y diferenciadas sólo por su forma. Una sustancia química se diferencia de otra no por las cualidades de las partículas que la componen –siendo única su materia–, sino por la estructuración distinta que asumen en una u otra composición. Por lo tanto, el químico debe estudiar la estructura cuando quiere descubrir las propiedades de una sustancia.

EL NACIMIENTO DE LA GEOLOGÍA

Hoy nadie dudaría que la Tierra tiene una historia y que dicha historia se mide no en cientos, ni en miles, sino en millones de años. Hasta el año 1600 las cosas eran muy distintas: los cálculos hechos teniendo en cuenta las informaciones de las Sagradas Escrituras cifraban la edad de la Tierra en unos 6 000 años, y su nacimiento se hacía coincidir con la creación divina. El proceso que condujo a la afirmación de que era lícito cuestionar e investigar el propio pasado de la Tierra fue un proceso lento que, entre mil contrastes y dificultades ligadas, entre otras, a razones de ortodoxia, no culminó hasta el siglo XVIII.

Uno de los grandes problemas que acabó convenciendo a los científicos de la necesidad de reflexionar seriamente sobre la historia de nuestro globo fue la cuestión de los fósiles. ¿Qué eran esas extrañas piedras con forma de pez, concha u hoja que aparecían normalmente en grutas, te-

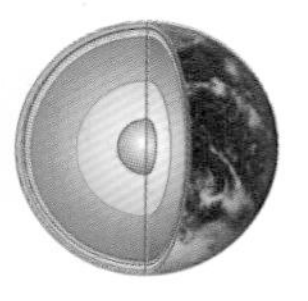

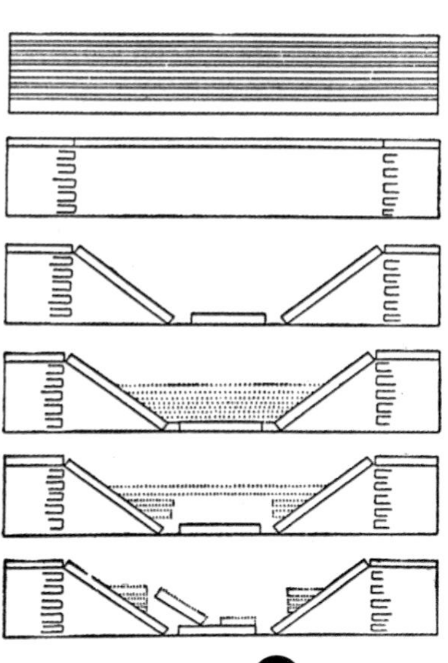

Estratigrafía de Toscana en el *Prodromus* de Stensen, obra en la que se reconstruyen las fases de la Tierra, desde su origen hasta nuestros días. Fig. 1: la Tierra completamente cubierta de agua. Las capas sedimentarias perfectamente horizontales son excavadas por la acción de los movimientos internos de la Tierra y por las aguas subterráneas: se crean vacíos bajo la superficie terrestre (fig. 2). Fig. 3: la superficie cede. Se forma una nueva cuenca que es rellenada por las aguas del Diluvio: empieza una nueva fase de sedimentación (fig. 4), seguida por nuevos derrumbes de la costra terrestre (figs. 5 y 6).

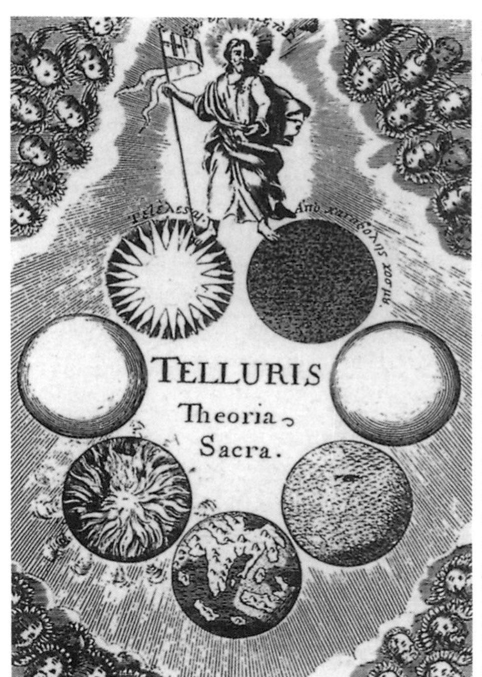

Portada de la *Teoría sagrada de la Tierra* (1680), de Thomas Burnet.
El globo situado bajo el pie izquierdo de Cristo representa la Tierra caótica de los orígenes: un amasijo de materia desordenada. Si se avanza en sentido horario se ve el caos ordenado de la palabra divina: el paraíso terrestre. Sigue el diluvio universal enviado para castigar los pecados humanos: la Tierra es cubierta por las aguas. El cuarto globo representa la Tierra en su estado actual: las aguas se han retirado, dejando profundas grietas en su superficie. Las otras tres fases se refieren al futuro: al final la Tierra se transformará en una estrella.

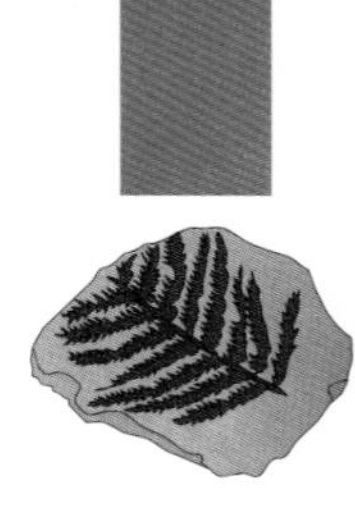

La interpretación de los fósiles
vol. 22 - pág. 22

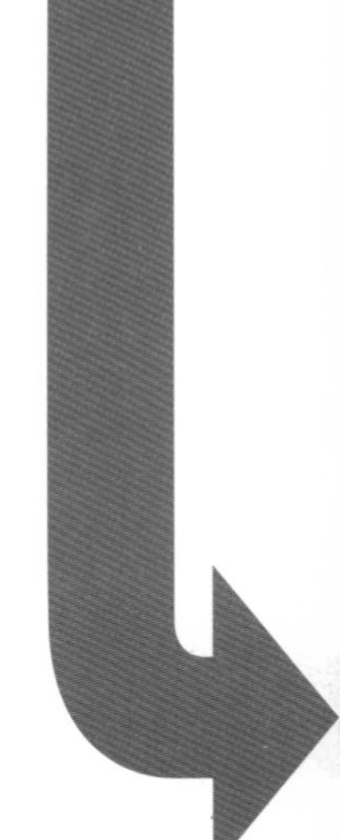

rrenos calcáreos o en las cimas de las montañas más altas? La idea de que se trataba de seres orgánicos y no de "bromas" de una naturaleza que se entretenía reproduciendo formas vivas en el reino mineral adquirió consistencia entre finales del siglo XVI y principios del XVII. ¿Cómo era posible que peces y conchas alcanzaran la cima de las montañas? ¿Y cómo esos seres se encajaron en las piedras?¿Eran esas piedras originalmente líquidas? Preguntas de este tipo llevaron a Robert Hooke, Niels Stensen, Thomas Burnet y muchos otros a pensar que el aspecto de la Tierra, lejos de haber sido siempre parecido al actual, es más bien el resultado de un largo proceso de transformaciones, sacudidas y catástrofes cuya historia convenía investigar en detalle, estudiando los fósiles como testimonios de dicho pasado.

Francesco Redi

El nombre de Redi está asociado irremediablemente al primer desmentido experimental de la tesis de la generación espontánea de los insectos.

Tras estudiar con los jesuitas y licenciarse en medicina y filosofía en Pisa, el científico y literato italiano Francesco Redi pasó casi toda su vida en Florencia, donde en 1666 el granduque Fernando II le nombre médico de corte y responsable de la botica palaciega. Figura importante de la historia de la literatura italiana, gracias a una significativa actividad literaria como escritor, poeta y filólogo,sin embargo Redi destacó sobre todo como biólogo. En este ámbito, desde la Antigüedad la idea de que los organismos vivos procedían de otros organismos vivos de la misma especie convivía con la convicción de que determinados ti-

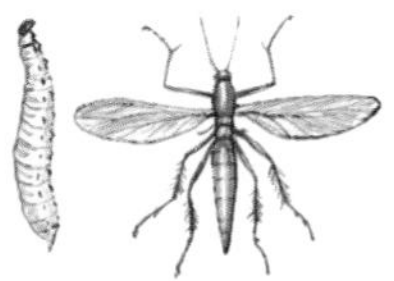

El desarrollo de los insectos vol. 11 - pág. 64

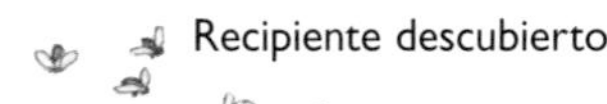

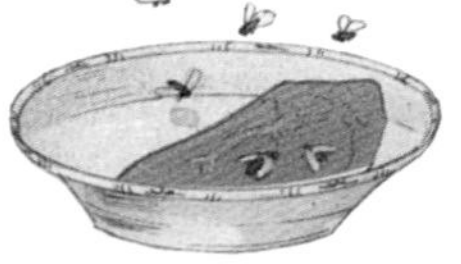

Recipiente tapado

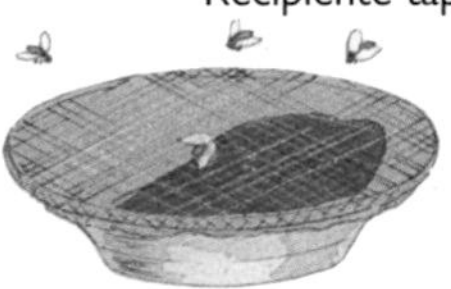

Inicio de la exposición

Tras unos 10 días

Tras unos 30 días

Utilizando recipientes con distintos tipos de carne Redi observó que sólo cuando las moscas accedían libremente a la misma se "producían" gusanos (que más tarde se convertían en moscas). Cuando el recipiente estaba tapado la carne se descomponía y no se generaba nueva vida. La verdadera causa de los gusanos no era, por tanto, la carne podrida, sino los huevos que las moscas ponían en ella. Impidiendo la deposición se impedía automáticamente la aparición de los gusanos.

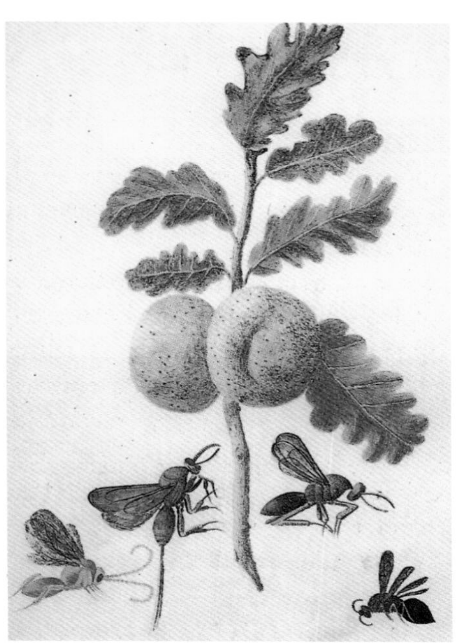

Aunque negando el origen espontáneo de los gusanos de la carne, Redi siguió defendiendo el de los insectos que surgen de las encinas. Como no pudo captar el momento en el que los insectos «padres» ponen sus huevos en los tejidos vegetales de estas plantas, Redi creyó que las mosquitas que salían de ellas habían sido producidas por la materia de la planta.

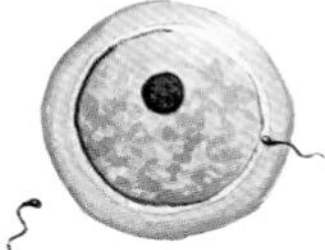

El debate sobre la generación pág. 68

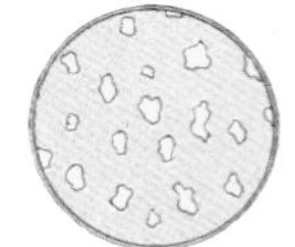

La generación espontánea vol. 22 - pág. 34

La teoría celular vol. 23 - pág. 30

pos de animales –en general insectos o pequeños vertebrados– podían tener su origen en la materia en descomposición. La cuestión, que hoy nos resulta cuanto menos singular, tenía su fundamento en observaciones, aún muy comunes, de insectos que parecían salir directamente de restos de animales en avanzado estado de putrefacción. Hasta el siglo XVII se seguía pensando que «las miasmas de los estanques generaban las ranas» o que los ratones podían nacer, de forma espontánea, «de una camisa sucia, cerrada en un recipiente de cristal con granos de trigo». Al examinar los gusanos que aparecen en la carne dejada durante un tiempo al aire Redi consiguió demostrar, con los medios relativamente sencillos descritos en sus *Experiencias sobre la generación de los insectos* (1688), lo erróneo de esta creencia. Durante casi un siglo, antes de volver a plantearse la misma cuestión para seres más pequeños (protozoos y bacterias), la tesis de la generación espontánea pareció definitivamente derrotada.

La invención del microscopio

Casi contemporánea a la invención del telescopio, la del microscopio abre a los «curiosos de la naturaleza» un campo de investigación nuevo e infinito. Como atestigua una famosa carta a Federico Cesi, presidente de la Academia de los Lincei, Galileo ya había usado un catalejo para observar pulgas, piojos y mosquitos: las maravillas del mundo microscópico provocaron en las décadas siguientes una admiración y un interés parecido al provocado pocos años antes por los asombrosos descubrimientos del mundo celeste.

El microscopio nace, según el modelo del telescopio, como un sistema que combina, a lo largo de un tubo rígido de distintos materiales, dos o más lentes: los primeros microscopios que se fabrican son compuestos. Entre los microscopios de una sola lente, o microscopios simples más conocidos destacan los construidos por el naturalista holandés Antoni van Leeuwenhoek. Se trataba de aparatos de una calidad excepcional para la época: de estructura muy simple, podían llegar en algunos casos a aumentos equivalentes a unos 200 diámetros del objeto. Los numerosos defectos de los primeros microscopios eran básicamente consecuencia de problemas de aberración esférica y de aberración cromática de las lentes: dichos problemas se amplificaban en los microscopios compuestos, en los que la combinación de varias len-

El microscopio
vol. 4 - pág. 40

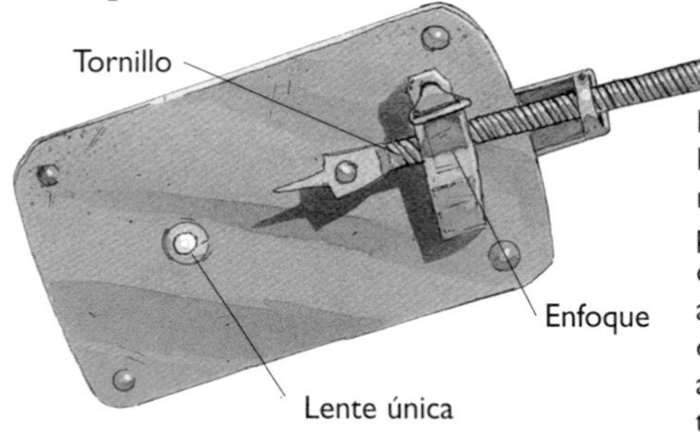

El microscopio de Leeuwenhoek, de estructura rudimentaria, contenía una pequeña lente encajada entre dos placas metálicas. El objeto a observar estaba fijado a una diminuta aguja que se podía acercar o alejar girando un tornillo.

La *Tabla de la abeja* (1625), de Federico Cesi, es quizá la primera imagen impresa de un objeto observado con el microscopio.

Abajo, un ejemplar de microscopio compuesto, del siglo XVII, del modelo conocido y descrito por Robert Hooke. Su estructura de madera y cartón era recubierta después de cuero finamente repujado.

tes agravaba la situación. El poder de resolución de estos primeros aparatos también dejaba mucho que desear: era muy difícil disfrutar de una visión nítida de los detalles más pequeños del objeto, sobre todo con grandes aumentos. A pesar de estos problemas el microscopio fue, a partir de la segunda mitad del siglo XVII, el protagonista de numerosos descubrimientos: el propio Leeuwenhoek descubrió, además de los espermatozoides del semen masculino, los glóbulos rojos de la sangre, algunas especies de protozoos y diversas bacterias. La entomología, la anatomía de las plantas (se estudiaron en este periodo las células del azúcar) y, como veremos en breve, la anatomía microscópica constituyeron los primeros sectores abiertos por la fecunda aplicación del nuevo instrumento a la investigación de los seres vivos.

Soporte para el objeto

Marcello Malpighi

Gran seguidor de las enseñanzas de Galileo, que supo trasladar a los fenómenos del mundo biológico con resultados excepcionales, el italiano Marcello Malpighi es considerado universalmente el padre de la anatomía microscópica. Sobre un trasfondo de una imagen mecanicista del mundo orgánico, Malpighi se aproximó al estudio de la máquina corpórea –humana y animal– con técnicas de vanguardia para la investigación anatómica; con un gran dominio del uso del microscopio (no hay que olvidar que lo utilizó antes de las investigaciones de Leeuwenhoek); del recurso sin prejuicios al llamado microscopio de la naturaleza, o sea a la localización y al estudio, en organismos simples como insectos o anfibios, de funciones y estructuras cuya investigación podía resultar difícil o imposible en seres más complejos. El primer gran éxito de la investigación de Malpighi se ve en las dos cartas que forman *De pulmonibus* (*Sobre los pulmones*, 1661): el descubrimiento de los alveolos pulmonares, en comunicación con las últimas ramificaciones traqueo-bronquiales y envueltos por la red capilar, completaba el cuadro de la circulación de la

El cuerpo humano
vol. 18

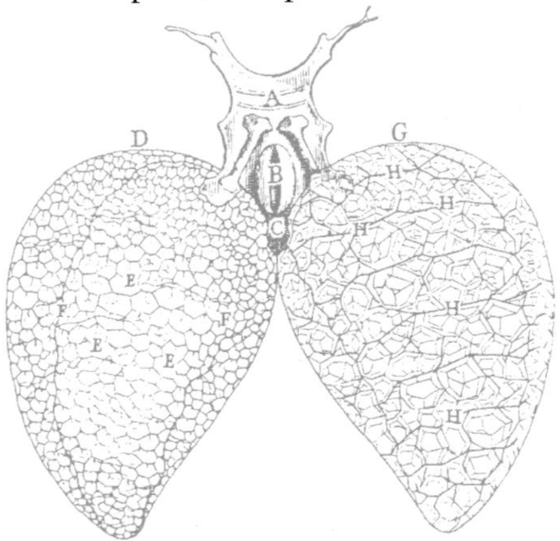

Con observaciones precisas de los sacos pulmonares de la rana, Malpighi pudo comprobar la existencia de la red capilar en la que se realiza la conexión entre las ramificaciones más pequeñas de las venas y de las arterias.

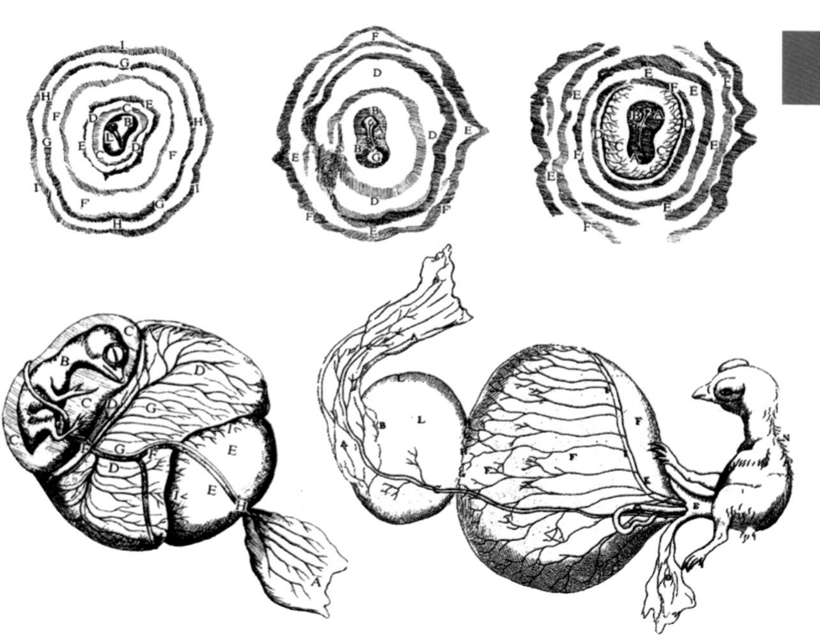

Las imágenes de arriba muestran las distintas fases de desarrollo del embrión del pollo, tomadas en varios días a partir del comienzo de la incubación.

sangre. Los cuatro años que pasó en la universidad de Messina (1662-1666) fueron empleados en la investigación de la estructura de la lengua y la piel, con los consiguientes descubrimientos de las papilas linguales y cutáneas; en estudios neurológicos sobre el cerebro y la estructura del sistema nervioso central; en el análisis de glándulas y del mecanismo de la secreción. Los resultados del estudio de la sangre, con la localización –más tarde confirmada por Leeuwenhoek– de los glóbulos rojos, fueron dados a conocer en *De polypo cordis* (*Sobre el pólipo del corazón*, 1666), un auténtico tratado de hematología. Muy importantes son también, junto a los estudios del mundo vegetal (junto a Nehemiah Grew, Malpighi es considerado también el fundador de la anatomía vegetal), los embriológicos: las observaciones del desarrollo embrional fueron básicas en el debate sobre la generación.

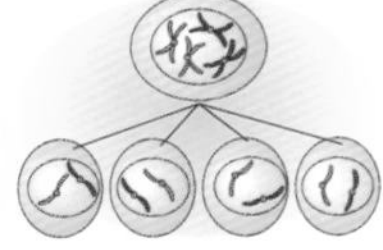

La meiosis
vol. 9 - pág. 32

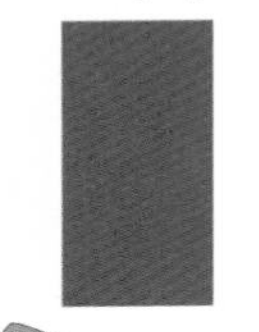

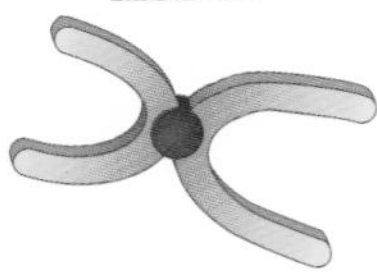

La herencia
vol. 9 - pág. 46

¿Para qué sirve el sexo?
vol. 9 - pág. 66

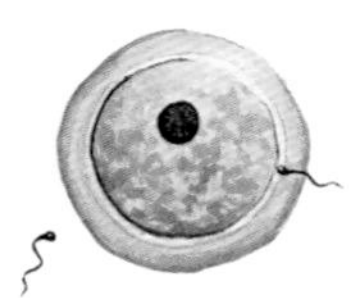

El debate sobre la generación

¿Cómo se forma un nuevo ser a partir de la unión de los padres respectivos? Se trata de un proceso largo, laborioso y muy complicado que la ciencia puede hoy recorrer de forma muy detallada. No era igual en el siglo XVII, cuando no sólo ADN, genes o herencia, sino el mismo concepto de célula como unidad base del ser vivo eran nociones totalmente desconocidas. La ciencia de vanguardia de entonces, la ciencia mecanicista, que comparaba el organismo vivo con un reloj o una bomba hidráulica, conseguía explicar cómo funciona dicha máquina, pero no podía comprender cómo se había formado: ¡nunca se había visto que dos relojes produjeran un tercero! El desarrollo del microscopio permitió realizar importantes descubrimientos: entre 1667 y 1668 Stensen y van de Graaf observaron los llamados huevos femeninos (se trataba en realidad de los folículos ováricos), y Leeuwenhoek los espermatozoides. Estas nuevas realidades, paralelas a las semillas de los vegetales, fueron interpretadas por gran parte de los científicos mecanicistas como contenedores del futuro embrión, ya formado –o, mejor dicho, «pre-

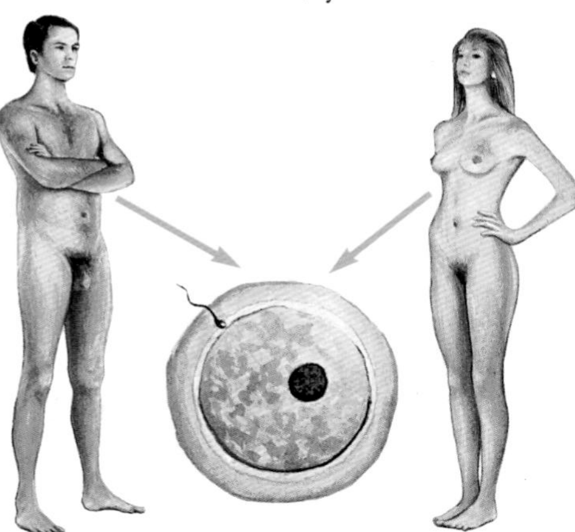

Epigénesis. Padre y madre proporcionan materiales que, convenientemente mezclados en el momento de la fecundación, darán vida a una nueva estructura. El embrión no es un niño en miniatura: sus órganos se formarán, poco a poco, durante la incubación.

Según el preformismo «ovista», en los «huevos» femeninos está presente en miniatura la futura estructura del embrión. El semen masculino sólo activa el proceso de crecimiento.

El preformismo «animalculista» sostenía que la estructura del embrión estaba presente en el espermatozoide.

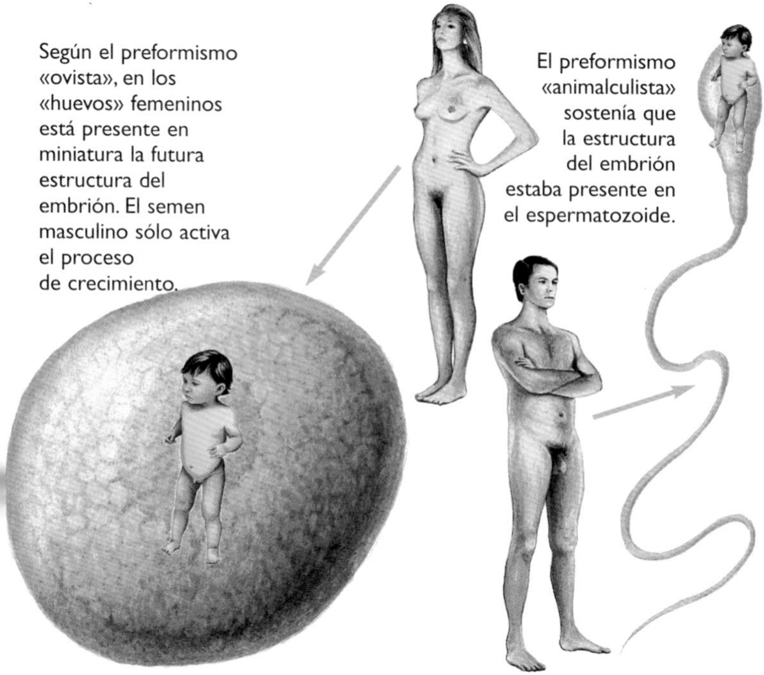

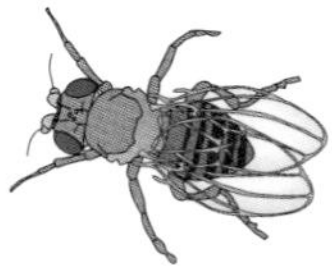

formado»– como una miniatura del nuevo individuo, en el momento que precede a la fase de la incubación, para algunos incluso anterior a la propia fecundación. Pero, ¿cómo se había formado en esas semillas, en esos espermatozoides y en esos huevos? No se podía saber: la primera formación del embrión o germen, cuando no referida directamente a Dios, seguía siendo un misterio. Lo único que el científico podía hacer era estudiar las fases de desarrollo durante la incubación. Junto a esta tendencia, definida como «preformismo», coexistía una teoría más antigua, la «epigénesis», que planteaba la cuestión de forma muy distinta. Se consideraba al nuevo individuo como fruto de la unión o «mezcla» de los líquidos seminales de sus progenitores, en el momento de la fecundación. No había, por tanto, preformación en el huevo, el semen o el espermatozoide: el embrión empezaba a existir y se formaba «una parte tras otra» (este es el significado de «epigénesis») tras la unión de ambos sexos.

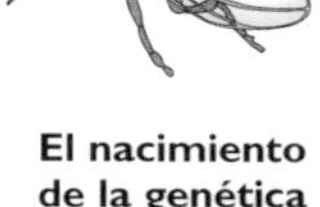

El nacimiento de la genética vol. 24 - pág. 16

Los canales de Francia

Ciencia y tecnología en China
vol. 20 - pág. 68

Desde la Antigüedad el curso de un río ha representado un óptimo medio de comunicación de mercancías, al aprovechar una vía natural de comunicación. Los romanos y, sobre todo, los chinos, pueden ser considerados los precursores de grandes obras de canalización (la realización del Gran Canal, de algo menos de mil kilómetros de longitud, concluyó en el año 610). Entre los desarrollos más notables del conjunto de obras y técnicas para resolver problemas como el aprovisionamiento hídrico constante o las diferencias de nivel del terreno por el que se produce la navegación destacan, en el siglo XVII, los canales franceses de Briars y Orléans y el del Languedoc, o Canal du Midi, el niño mimado de la ingeniería hidráulica del reinado de Luis XIV. El proyecto de unir el Atlántico y el Mediterráneo se remontaba a los tiempos de Francisco I.

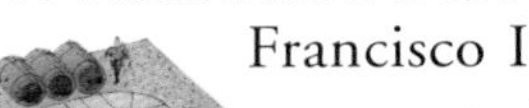

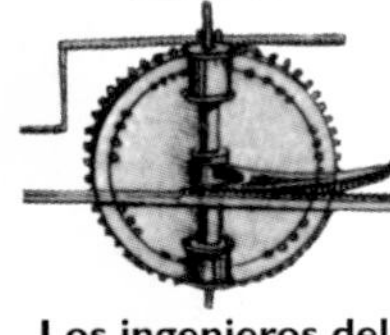

Los ingenieros del Renacimiento
vol. 20 - pág. 82

Cerca de las ciudades el canal se ensancha y forma una especie de pequeño puerto para facilitar las operaciones de carga y descarga de los materiales.

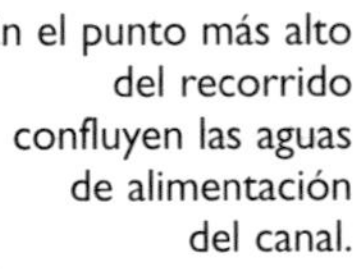

En el punto más alto del recorrido confluyen las aguas de alimentación del canal.

Su realización, que preveía la unión del Garona mediante un canal artificial con el río Aude, a la altura de Carcassonne, no terminó hasta 1681: el autor del proyecto, el ingeniero Pierre Paul Riquet, murió en mayo del 1680, unos meses antes de la inauguración de su estructura. El canal en cuestión, que de Toulouse al Etang de Thau mide 241 kilómetros, es una obra monumental. De gran interés, desde el punto de vista técnico, es la construcción –además de numerosos diques, puentes, esclusas y conductos subterráneos por el que discurren pequeños cursos de agua que cruzan el canal– de canales de alimentación, garantía de un aprovisionamiento hídrico constante, situados en cotas elevadas.

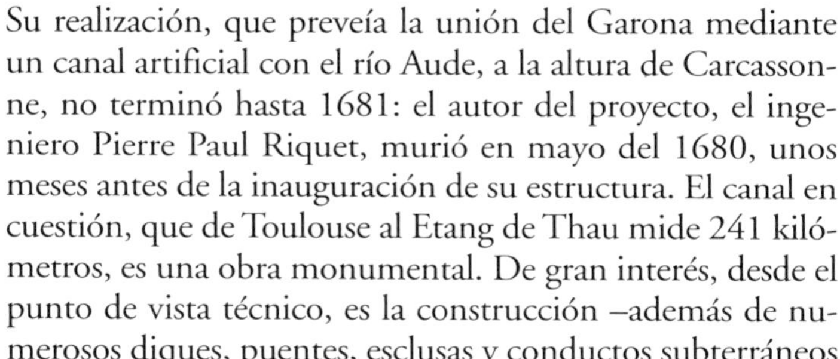

La forma redondeada de la cuenca de la esclusa permite, además de una mayor profundidad, una mejor adaptación a las quillas de las barcazas.

Los senderos que bordean el canal eran recorridos por caballos que arrastraban las barcas.

LAS BONIFICACIONES HOLANDESAS

Con una larguísima experiencia a sus espaldas en la construcción de diques para proteger las zonas costeras del mar, los flamencos fueron pioneros, entre los siglos XVI y XVII, en las técnicas de bonificación de los lagos y las lagunas interiores. No es lo mismo levantar muros y diques para defender las tierras del ímpetu del mar (aunque esto implique la recuperación de nuevas tierras) que idear sistemas novedosos y nuevas tecnologías para desecar zonas húmedas dentro de un territorio concreto.

Para poder valorar mejor la obra de bonificación que se produjo en el periodo citado bastará con reflexionar sobre estos datos: de las más de 35 000 hectáreas totales de las tierras recuperadas a las aguas entre Holanda, Frisia, Zelanda, Groningen y Brabante septentrional entre 1540 y 1565, sólo 1 349 hectáreas procedían de la desecación de lagos.

El molino
vol. 20 - pág. 74

Un tipo de molino utilizado para el drenaje de lagos y terrenos palustres. Una rueda de 1,5 metros de diámetro conseguía levantar 40 metros cúbicos de agua hasta una altura de 5 metros.

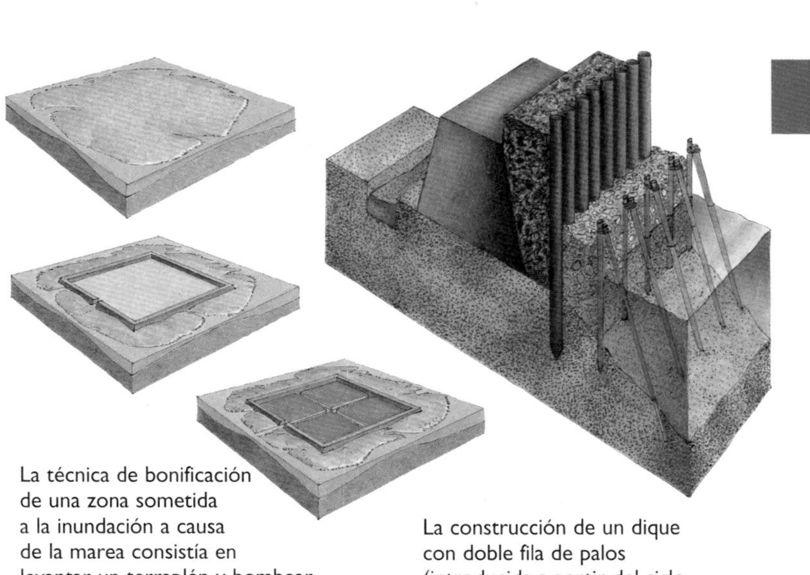

La técnica de bonificación de una zona sometida a la inundación a causa de la marea consistía en levantar un terraplén y bombear después el agua por él circunscrita a dos canales en ángulo recto que permitían el vaciado en las fases de marea baja.

La construcción de un dique con doble fila de palos (introducida a partir del siglo XV). La primera empalizada protegía un terraplén de arcilla, del que le separaba un colchón de algas. La segunda sostenía un muro de piedras y paja.

El resto procedía de los muros erigidos para defenderse del mar. Por el contrario, 19 000 de las más de 25 000 hectáreas arrancadas a las aguas entre 1615 y 1640 eran consecuencia de la desecación de lagunas interiores. El método utilizado para este tipo de desecación era bastante sencillo: se rodeaba completamente el lago con un terraplén obtenido de la excavación de un canal externo al propio terraplén. De los molinos colocados en el terraplén bombeaban las aguas del lago al canal, conectado con un río mediante sistemas de esclusas o aprovechando la ley de la gravedad. El matemático, científico y, diríamos hoy, ingeniero hidráulico Simón Stevin, junto con Jan Adriaanszoon Leeghwater, «constructor de molinos e ingeniero de de Rjip», fueron los principales protagonistas del desarrollo y perfeccionamiento del molino de drenaje.

La invención de los termómetros

¿Quién inventó el termómetro, Santorio Santorio o Galileo Galilei? Más allá de los argumentos a favor de una u otra atribución de paternidad, la fabricación del instrumento, fechada aproximadamente en torno a los primeros años del siglo XVII, debe mucho a ambos aunque Santorio fue, al parecer, el primero que utilizó el termómetro para medir no sólo la temperatura ambiente, sino también la del cuerpo humano (no hay noticias, sin embargo, sobre la utilización práctica del aparato por parte de Galileo).
Al exportar al terreno de los fenómenos vitales la aproximación cuantitativa de la nueva física de Galileo, que conocía bien Santorio, comprendió la importancia de la aplicación de instrumentos de medición al campo de las ciencias médicas. Un uso cotidiano de la balanza le permitió, en la observación sistemática de las variaciones del propio peso corporal, descubrir la existencia de la transpiración insensible, o sea una escreción adicional a las escreciones visibles ya conocidas. Medir la fiebre a través del termómetro permite a un médico un control directo del estado y evolución de una enfermedad, y llevó a Santorio a deshacer mitos como el de que la temperatura del cuerpo humano es mayor de día que de noche. Con respecto al termoscopio (no graduado) ideado por Galileo, Santorio dotó a sus instrumentos de una escala de referencia cuyos términos eran la temperatura de la nieve y la llama de

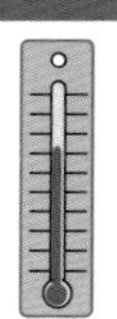

La temperatura
vol. 2 - pág. 66

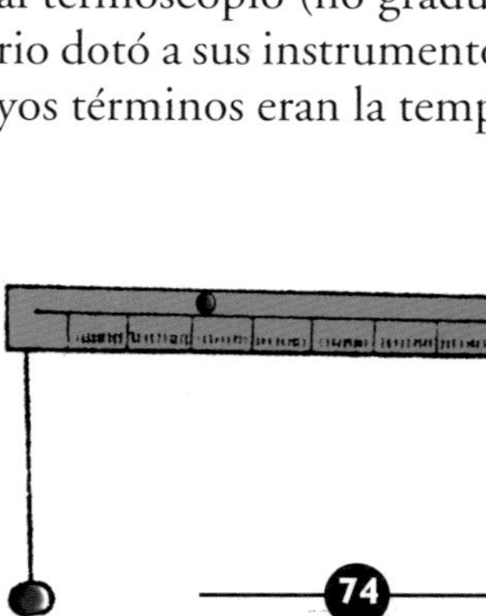

El pulsilogio fue usado por Santorio en medicina como una especie de cronómetro que, utilizando las oscilaciones de un péndulo colocado junto a una escala graduada, permitía medir la frecuencia del pulso.

Termómetros realizados hacia el año 1660 por la Academia del Cimento, y conservados hoy en el museo de Historia de la Ciencia de Florencia. La forma en espiral permitía hacer el instrumento más fácil de transportar.

una vela. Al tratarse de un sistema abierto, que utilizaba la expansión del aire como criterio de medida de la temperatura, el termómetro de Santorio era en cierto sentido también un barómetro, sujeto a las variaciones de la presión atmosférica.

GIAN DOMENICO CASSINI

La fama de Cassini está ligada a la determinación del apogeo y la excentricidad de un planeta, y a la solución del problema de la lentitud aparente del curso del Sol durante el verano, mediante la ayuda de un meridiano por él proyectado en la iglesia boloñesa de San Petronio. Patriarca de una familia de astrónomos, con sólo 25 años Gian Domenico Cassini obtuvo la prestigiosa cátedra de astronomía del Ateneo boloñés, vacante desde la muerte de Bonaventura Cavalieri. Con un excelente dominio de los medios técnicos para la observación astronómica, Cassini compensó una actitud bastante prudente con respecto a las novedades -rechazó la teoría de la gravitación universal- con importantes observaciones y descubrimientos. Su amistad con dos célebres constructores romanos de instrumentos ópticos, Giuseppe Campani y Eustachio

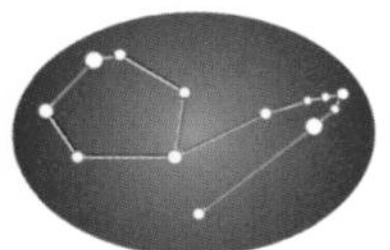

El cosmos vol. 5

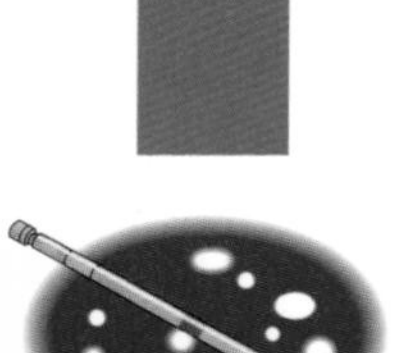

Galileo y la nueva astronomía pág. 40

El Observatorio de París nació en 1671, proyectado por el arquitecto Perrault, y se anticipó en cuatro años a la fundación de su homólogo inglés, Greenwich. El impulso dado por Cassini a la actividad del instituto lo convirtió, casi desde su origen, en un centro de vanguardia en la investigación astronómica.

Divini, le permitió disponer de telescopios muy potentes. Con ellos hizo nuevas e importantes observaciones: desde determinar la revolución de los satélites de Júpiter hasta calcular los periodos de rotación del planeta (seguidos de los de Marte, excepcionalmente similar a los valores actuales, y de los de Venus). En el año 1668 presentó las tablas de los movimientos de los satélites de Júpiter, y por ello fue invitado a París por Colbert, como miembro de la recién nacida Academia de las Ciencias. Cassini se decidió a instalarse definitivamente en París cuando le propusieron participar en la construcción del observatorio astronómico que más tarde dirigiría. En él descubrió cuatro satélites de Saturno, de cuyo anillo, que se imaginaba como formado por miles de corpúsculos, descubrió también la parte oscura que hoy lleva su nombre.

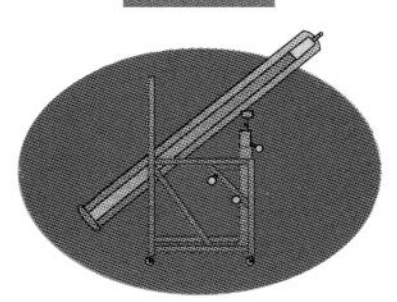

La exploración del cielo
vol. 22 - pág. 58

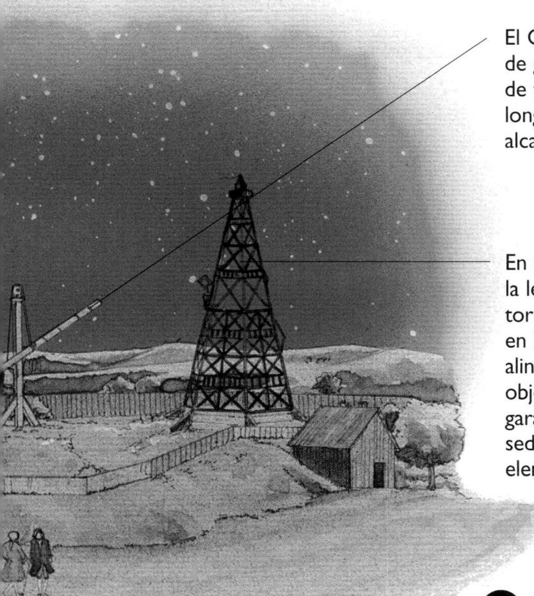

El Observatorio disponía de grandes telescopios, de tipo galileiano, cuya longitud focal podía alcanzar los 70 metros.

En el aparato aquí dibujado la lente está fijada a una torre. El observador tiene en la mano la mirilla: la alineación con la lente-objetivo en la torre está garantizada por un hilo de seda que une ambos elementos.

LAS ACADEMIAS CIENTÍFICAS

El museo de Alejandría vol. 20 - pág. 32

Bacon pág. 32

Galileo Galilei pág. 34

La exigencia de dar vida a sedes permanentes de encuentro en las que fuese posible ponerse al día sobre las principales novedades en el campo científico, discutirlas y someterlas a comprobación experimental, presentar nuevas hipótesis y nuevas orientaciones de investigación dio lugar, entre los siglos XVI y XVII, a la creación de instituciones que tuvieron un papel fundamental en la organización, promoción y comunicación de los avances científicos: las academias.

Surgidas a veces como expresión del mecenazgo de los monarcas o de la nobleza, abiertas a las novedades de la ciencia, a veces por iniciativa autónoma de los miembros fundadores, en las academias, el ideal de Bacon de un saber entendido como empresa colectiva, como fruto de la colaboración y el intercambio entre hombres dedicados a la ciencia, encontraba una posibilidad concreta de realización.

Tras la precoz experiencia romana de la Academia de los Lincei (1603), que tuvo el honor de contar entre sus miembros con el gran Galileo, y de la florentina del Cimento (1657), nacida al amparo de Leopoldo de Médicis, las instituciones más conocidas en este panorama cultural fueron, sin duda, la Royal Society de Londres (1662) y la Academia de Ciencias de París (1666).

Muy ligada a las enseñanzas de Bacon, del que heredó el interés por las ciencias experimentales –química, electricidad, magnetismo–, la Royal Society era autofinanciada por sus miembros, entre los que destacaron, en sus comienzos, Robert Boyle y Robert Hooke. Orientada sobre todo hacia las matemáticas (óptica, estática, astronomía, etc.), la Academia de Ciencias, creación del reino de Luis XIV y de su ministro de finanzas, Colbert, era, por el contrario, financiada totalmente por el Estado.

Con las diferencias lógicas de modalidad organizativa, los miembros de las principales academias se reunían cada cierto tiempo: las sesiones tenían a menudo un orden del día y, en casos como el de la Royal Society, la actividad desarrollada durante las reuniones, así como las comunicaciones hechas a la sociedad por correspondientes extranjeros, se difundían mediante publicaciones periódicas realizadas al efecto. Este es el caso de las *Philosophical Transactions* de la Royal Society.

El Siglo de las Luces
vol. 22 - pág. 8

Un papel muy importante en el interior de las distintas sociedades científicas lo desempeñaban las bibliotecas y los distintos gabinetes científicos, llenos de instrumentos, máquinas y aparatos capaces de responder a las exigencias de las distintas actividades experimentales.

ISAAC NEWTON

Nacido en Woolsthorpe, Lincolnshire, el 25 de diciembre de 1642 (según el calendario juliano), quedó huérfano de padre con un año de edad y fue acogido como estudiante pobre en el Trinity College de Cambridge en 1661. Allí terminó en pocos años el curriculum académico. Conseguido el título de bachiller en 1665, una terrible epidemia de peste le obligó a refugiarse en su Woolsthorpe natal. Aquí, entre 1665 y 1666 puso las bases de los que serían sus descubrimientos más famosos: el cálculo de las fluxiones, la teoría de los colores y la gravitación universal. Tras regresar a Cambridge en 1667 –dos años más tarde se le confiaría la cáte-

Galileo Galilei
pág. 34

Reloj planetario conocido como Orrey, por el nombre del conde que encargó su construcción; representa el sistema solar tal como era concebido por la física newtoniana.

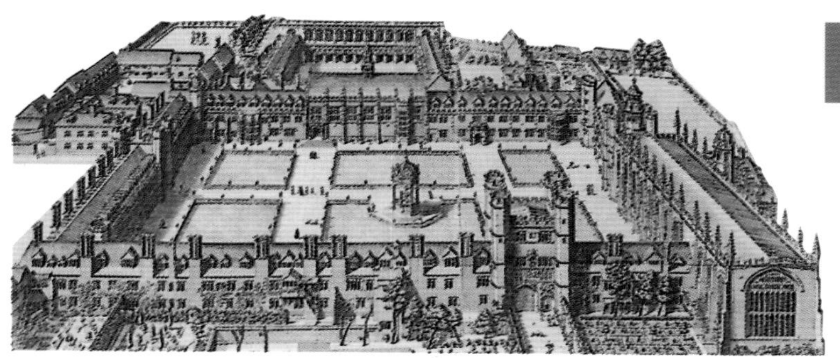

Vista del Trinity College. Además de los estudios e investigaciones que lo hicieron universalmente famoso, Newton desarrolló en él una intensa actividad científica en los campos de la alquimia, la teología y la exégesis bíblica.

dra de matemáticas– Newton presentó a la Royal Society (que lo acogió entre sus miembros) su primera memoria sobre la luz, publicada en las *Philosophical Transactions* del año 1672. Completamente absorbido por la investigación en campos muy variados y diversificados, que iban desde las matemáticas y la geometría hasta la física y la química, Newton empezó a trabajar a partir de 1684 en los *Philosophiae naturalis principia maathematica (Principios matemáticos de filosofía natural,* 1687), obra en la que se exponen los principios fundamentales de la mecánica y se demuestra la ley de la gravedad universal. Siguen años caracterizados por la realización de prestigiosos encargos públicos: en 1689 es nombrado miembro del Parlamento, en 1695 inspector de la Casa de la Moneda, y en 1703 presidente de la Royal Society, cargo que conservará hasta su muerte. Al año siguiente aparece la primera edición de la obra *Optiks (Óptica)*, que contiene en un apéndice el *De Quadratura (Sobre la cuadratura)*, o sea la primera exposición completa del cálculo de las fluxiones. El gran científico inglés murió siendo muy famoso y, enterrado el 20 de marzo de 1727, recibió exequias dignas de un soberano. «La naturaleza y las leyes de la naturaleza estaban escondidas en la noche. Dios dijo: ¡hágase Newton! y se hizo la luz»: así lo celebraron los versos del poeta Alexander Pope.

El cálculo infinitesimal pág. 84

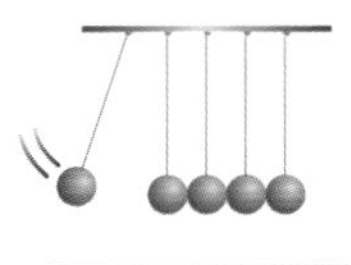

La mecánica de Newton

El argumento principal del primer libro de los *Principios* (el segundo, que contiene la crítica a los remolinos cartesianos, trata de la mecánica de fluidos; el tercero, como veremos, de la astronomía), la exposición de la mecánica newtoniana, está precedida de las definiciones de sus conceptos fundamentales. Básico, por su importancia, es el de la «cantidad de material o masa» con el que se establece de forma definitiva una diferencia sustancial entre la noción de peso de un cuerpo y la de su masa. Si la segunda representa la medición de la cantidad de materia que constituye un objeto determinado, el peso es la fuerza que la gravedad ejerce sobre la masa del propio objeto. En otras palabras, mientras nuestra masa corpórea permanece inalterada si estamos en la Tierra o en la Luna, nuestro peso sí varía algo, como sabe bien quien haya observado a los astronautas durante las misiones espaciales. En efecto, en la Luna la acción ejercida por la gravedad sobre nuestra masa -lo que determina nuestro peso- es mucho menor que en la Tierra. A la exposición de los otros conceptos básicos (cantidad de movimiento, fuerza de inercia, fuerza impresa y fuerza centrípeta) sigue el enunciado de

Las leyes de Newton
vol. 2 - pág. 20

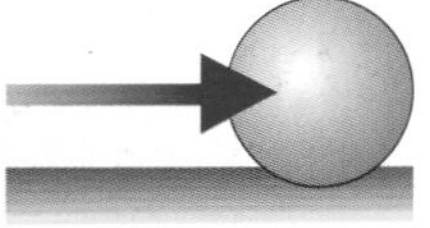

Las fuerzas
vol. 2 - pág. 22

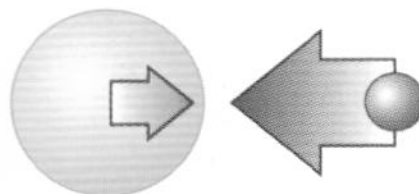

La gravedad universal
vol. 2 - pág. 26

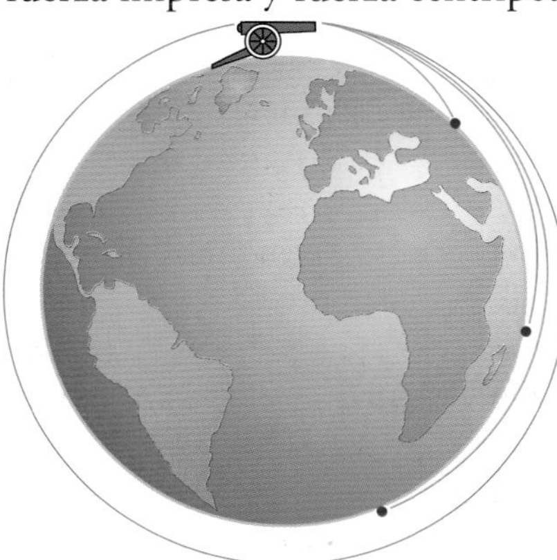

Un proyectil lanzado horizontalmente cae tanto más lejos cuanto mayor es su velocidad. Las trayectorias de los proyectiles son utilizadas a menudo por Newton para explicar su teoría astronómica: «el movimiento de los proyectiles nos permite entender cómo los planetas pueden entretenerse en órbitas determinadas por las fuerzas centrípetas».

La caída de una manzana al suelo y la revolución de la Luna en torno a la Tierra son, en la física de Newton, dos fenómenos del mismo tipo, regidos por el principio de la gravedad universal. La Luna tendería a moverse en línea recta si no se viese atraída constantemente hacia la Tierra, que la mantiene en una órbita constante.

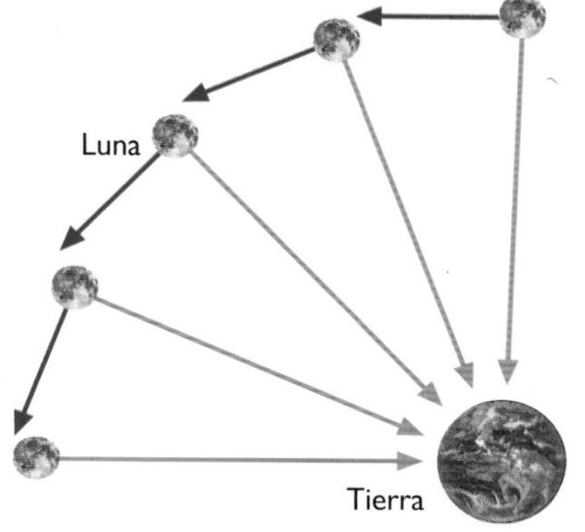

La catapulta imprime a la piedra una fuerza motora que determina la velocidad del movimiento. El cambio de movimiento del objeto es proporcional a la fuerza motora impresa.

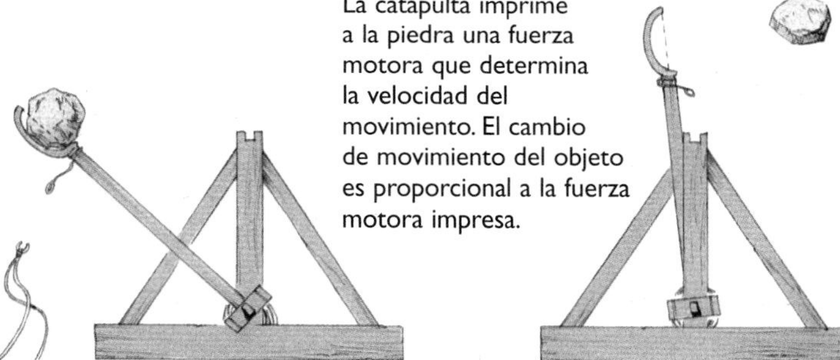

Newton y la astronomía pág. 86

los axiomas correspondientes a las tres leyes newtonianas del movimiento (hoy conocidas como principios fundamentales de la dinámica): 1. «Cada cuerpo persevera en su estado de quietud o de movimiento rectilíneo uniforme, excepto si se ve obligado a alterar ese estado de fuerzas impresas»; 2. «El cambio de movimiento es proporcional a la fuerza motora impresa y se produce a lo largo de la línea recta según la cual se ha impreso dicha fuerza»; 3. «A cada acción corresponde una reacción igual y contraria».
Trazadas estas coordenadas, Newton pudo dedicarse a la investigación de las distintas trayectorias descritas por puntos materiales, con especial atención a las centrípetas. El caso de la gravedad se examina aquí en términos puramente hipotéticos, como fenómeno que se produce cuando dos puntos materiales se atraen uno hacia otro por una fuerza directamente proporcional a sus masas e inversamente proporcional al cuadrado de su distancia.

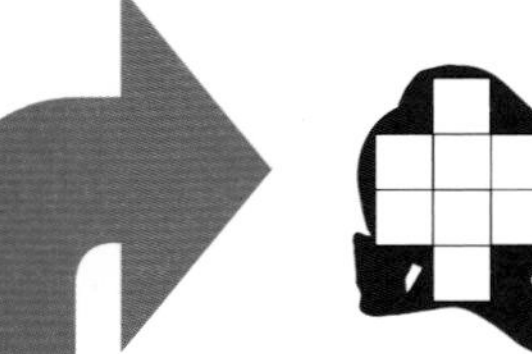

El cálculo infinitesimal

Objeto de una de las más célebres controversias científicas de la Edad Moderna, la surgida entre Newton y Leibniz sobre la prioridad del descubrimiento del cálculo infinitesimal, es narrada ya por los historiadores en función de la autonomía sustancial con la que los dos protagonistas llegaron a sus conclusiones respectivas.

La relación cada vez mayor que se ha instaurado entre matemáticas y ciencias físicas en la época moderna, la nueva dimensión filosófica lista para contemplar un universo infinito actúan como potentes impulsores en la definición y en la difusión del nuevo cálculo. Problemas nuevos, como el estudio del movimiento acelerado, en el que hay una variación de velocidad a cada momento (piénsese, por ejemplo, en la mayor o menor velocidad del movimiento de los planetas en función de su distancia con respecto al Sol), hacían necesario poner en relación magnitudes infinitesimales. Problemas no menos importantes eran planteados por el cálculo de áreas y volúmenes de las figuras curvilíneas, cuestión de gran importancia en la física para la determinación de las superficies marcadas por los rayos vectores de los planetas en sus órbitas alrededor del Sol. Otros seguían ligados a la cuestión de la determinación de la tangente, fundamental para la elaboración de la tendencia centrífuga del movi-

Isaac Newton
pág. 80

El área de una figura curvilínea puede medirse de forma aproximada sumando las áreas de los cuadrantes que tiene en su interior. Cuanto menor sean las dimensiones de los cuadrantes mejor será la aproximación del cálculo de área.

miento de un planeta. Rechazando la idea según la cual una magnitud matemática se puede concebir como la suma de un número infinito de magnitudes infinitesimales, así plantea Newton el problema: «*Considero (...) las magnitudes matemáticas no como constituidas por partes pequeñas a placer, sino como generadas por un movimiento continuo. Las líneas son descritas no mediante la suma de partes, sino mediante el movimiento continuo de puntos; las superficies, por movimiento de líneas; los sólidos, por movimiento de superficies; y los ángulos, por rotación de sus lados*». Newton hacía así posible medir dinámicamente, en la unidad de tiempo dada, la relación que existe entre los incrementos infinitesimales de una curva y su velocidad. Desde este punto de vista, las magnitudes variables de forma continua eran fluidas y los incrementos instantáneos de los fluidos (piénsese en la aceleración) eran llamados flujos.

El cálculo infinitesimal hace posible el determinar la velocidad instantánea mediante la subdivisión del recorrido en tractos infinitesimales.

NEWTON Y LA ASTRONOMÍA

En el tercer libro de los *Principios* la ley considerada desde un punto de vista estrictamente matemático sirve para «demostrar –así se expresa Newton– la estructura del sistema del mundo». La ley de la gravedad se convierte en el principio unitario de explicación no sólo de los movimientos de los planetas alrededor del Sol y el de los satélites en torno a los planetas, sino de cualquier fenómeno relativo al movimiento de caída de los cuerpos en la Tierra (desde la manzana que cae desde la rama del árbol hasta el proyectil disparado por un cañón). La gravedad terrestre se configura como un caso particular de la gravedad universal. Esta

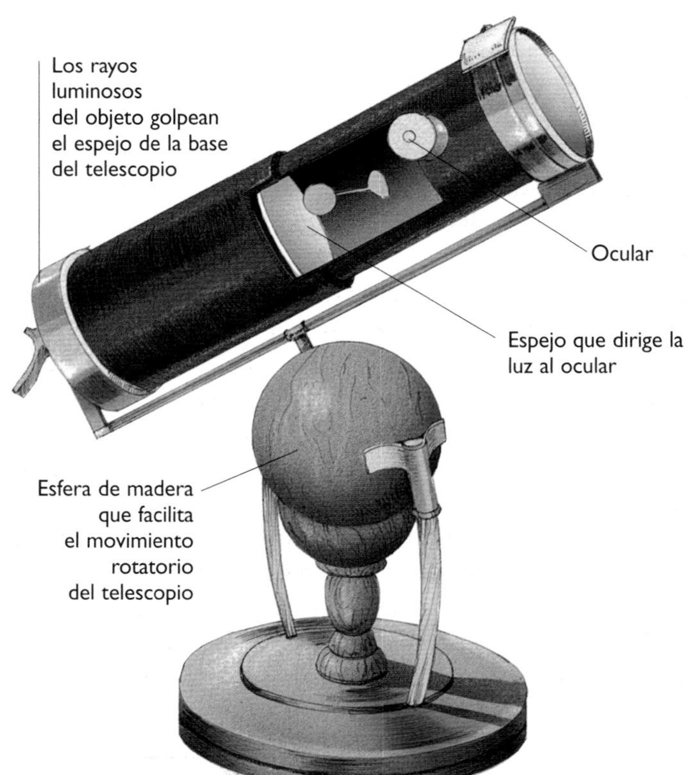

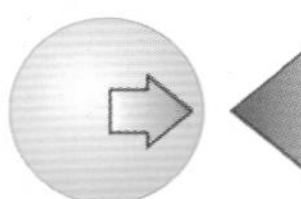

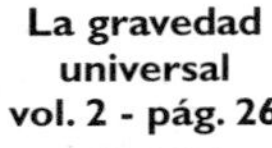

La gravedad universal vol. 2 - pág. 26

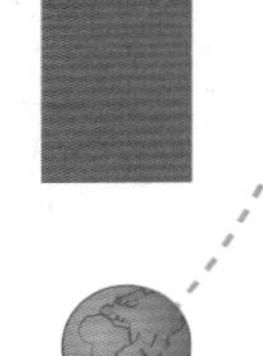

¿Por qué se mueven los cuerpos celestes? vol. 2 - pág. 30

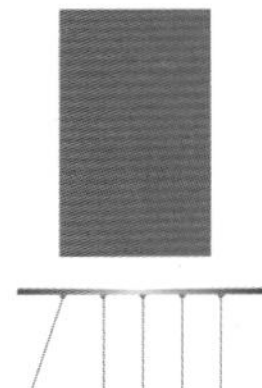

La mecánica de Newton pág. 82

fuerza que por sí sola regula un conjunto tan variado de fenómenos actúa en un espacio vacío.

A diferencia del universo aristotélico y del cartesiano, el de Newton no es un universo «lleno»: en él el movimiento de los cuerpos se produce en un vacío homogéneo y real. La atracción de la gravedad se propone, por tanto, como una fuerza que actúa a distancia (y no, como ocurriría en un espacio lleno, por contacto): es éste un concepto que le parecerá a muchos incomprensible, una especie de retorno a las «cualidades ocultas» de la física antigua. En realidad Newton estaba poniendo las bases de la física clásica, la que dominaría el panorama científico durante al menos dos siglos.

Las leyes de Galileo sobre la composición de los movimientos, la de la caída de los cuerpos, las leyes de Kepler, el principio de inercia de Descartes («si he podido ver más adelante es porque estaba de espaldas a los gigantes», así reconoció Newton su deuda con sus grandes predecesores) culminaban en la genial síntesis de Newton. La revolución astronómica podía considerarse cumplida.

El observatorio astronómico de Greenwich, fundado en 1675, proporcionó a Newton gran parte de los datos utilizados en su teoría astronómica.

Teniendo en cuenta las experiencias de la descomposición de la luz Newton consiguió evitar, sustituyendo las lentes con espejos, el problema de la aberración cromática, o sea la formación de halos de luz de colores en torno a la imagen, que afectaba a la observación telescópica. La invención del telescopio de reflexión (pág. anterior) fue recibida con gran entusiasmo por la comunidad científica europea.

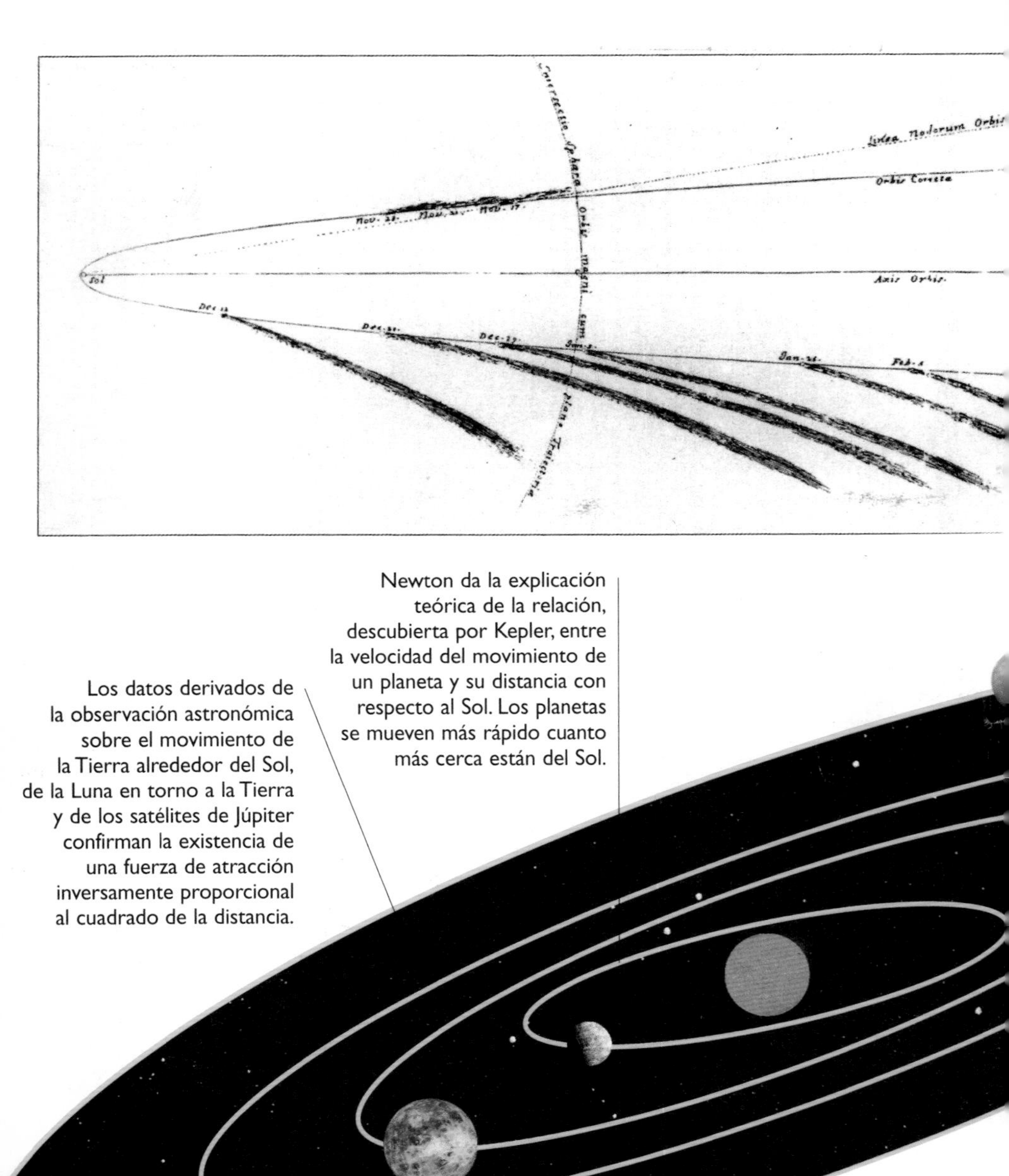

Newton da la explicación teórica de la relación, descubierta por Kepler, entre la velocidad del movimiento de un planeta y su distancia con respecto al Sol. Los planetas se mueven más rápido cuanto más cerca están del Sol.

Los datos derivados de la observación astronómica sobre el movimiento de la Tierra alrededor del Sol, de la Luna en torno a la Tierra y de los satélites de Júpiter confirman la existencia de una fuerza de atracción inversamente proporcional al cuadrado de la distancia.